邪神たちの2・26

クトゥルー・ミュトス・ファイルズ ⑦
The Cthulhu Mythos Files ⑦

田中文雄
Tanaka Fumio

創土社

目次

御通知

海江田清一ノ御遺骸御引取ノ為　本十二日正午(十二時)東京衛戍刑務所ニ出頭相成度

昭和十一年七月十二日

東京衛戍刑務所長　印

海江田礼子殿

『注意事項』

一　御遺骸御取引ノ為、寝台車又ハ霊柩車ヲ準備セラルルコト

二　混雑ヲ予防スル為、成ルベク近親者ニ限ルコト、之ガ為御取引場所ニ於イテハ乗用自動車ヲ成ルベク二台以上ニ制限セラレタシ

三　到着後直チニ代々木練兵場渋谷口受付ニ連絡セラルルコト

四　火葬ノ場合ハ各火葬場ニテ優先的ニ取計フ如ク処置セラルル筈

五　細部ニ付テハ受付ニ連絡セラレタシ

埋葬証明書

族籍	平民
姓名	海江田清一
年齢	大正三年六月七日生

刑死

昭和十一年七月十二日午前八時五十九分死刑執行

昭和十一年七月十二日

東京衛戍刑務所長　塚本定吉

昭和十二年三月二日　第七十回帝国議会陸軍委員会。無所属前田《まえだ》幸作《こうさく》代議士は遺骸《いがい》引取通知書、注意事項第四の「火葬」について、梅津《うめづ》美次郎《よしじろう》陸軍次官へ次のような質問で食い下がった。

前田「なぜそれならば、一定の時間をおいて火葬に付《ふ》せなかったのであろうか。……特別の優先権を与えて、今から行けばすぐ焼いてくれるから番を待たないでもよろしいからと、すでに霊柩車の用意もあり、直接火葬場に行きました。……二十四時間を待たずしてもそのまま火葬場に運んだのでございます。……惜しむらくは、二十四時間の時間をお与えにならなかったことと、中には自分の家に運んで、あるいは一晩なりとも自宅に安置したいという親心であったのでありましょうが、これをば頑として要求をお入れにならなかったのであります。是《これ》はいかなる点で二十四時間をお置きにならなかったのでございましょうか？」

梅津「これはすべて陸軍軍法会議における刑死者取扱の法規にしたがって処置したものでありまして……」

プロローグ

昭和四年(一九二九)八月二十六日の蝉《せみ》しぐれの昼下がり、日比谷交差点に近い外堀通りに黒いセダンが停まった。運転していた丸刈りの男がドアを開け、降り立ったのは白い麻のスーツを着た長身の紳士である。黒い紳士帽子をかぶりステッキをついている。男は皇居に向かって帽子を脱いだが、その動きは緩慢《かんまん》だった。何かにすっかり目を奪われてしまっている。

「これは――異形《いぎょう》な――」

男は細い口髭《くちひげ》をうごめかせた。その目は皇居の二重橋とその奥の広大な木立に注がれている。左の目が幾分眇《すがめ》である。唇がわななき、肩が小刻みに震えていた。

「先生」

と運転していた男が眉をひそめて太い声をかけた。がっしりとした体格で、肩と頭部が直結しているようにたくましい。和服の袖をたくし上げていたが、律儀《りちぎ》に袴《はかま》を着けていた。

「どうかなさいましたか」

先生と呼ばれた男は、運転していた男を見下ろした。

「……皇居に……黒い雲が――」

と長身の男は言いかけて口を閉じた。

「雲など見えませんがな」

「西田くん、ぼくには見えるのだ。皇国に危機が迫っておる」

言いおいて、男は車に戻った。セダンは発進した。運転しながら、西田と呼ばれた男は、先生は不思議なことを言われると思った。この日は朝から上天気で、午後になっても東京の空は、上空は風が強いのか、雲の一片とてなく晴れ渡っていたのである。

皇居の白壁はあくまでも白く輝き、宮内庁の緑色の屋根は陽光をまばゆく弾《はじ》いていた。皇居前広場のお堀の水を微風が渡ってゆく。石垣の上の松の木立では、蝉がひときわ高らかに、その短い夏を謳歌《おうか》しつづけた。

この年――満州事変《まんしゅうじへん》の起こる二年前のことである。

第一章　黒龍神社

1

　昭和十年（一九三五）八月二十七日の昼、照りつける陽光と蝉《せみ》しぐれの福井駅にひとりの将校が降り立った。夏の盛りだったがカーキ色の軍服を着け軍靴《ぐんか》をはいていた。陸軍の将校を示す帽子と軍服の襟《えり》の赤い線がひときわよく目立った。一陣の風がホームの埃《ほこり》を舞い上がらせ、男は軍刀を押さえた。

　陸軍歩兵第三連隊第六中隊、海江田清一《かいえだせいいち》少尉である。

　迎えに出ていた開襟《かいきん》シャツの若者が少尉の鞄を持ち、車に運んだ。海江田少尉は助手席に乗った。

　磨き上げられた軍靴の革の匂いが閉めきった車内にうっすらと漂った。車は寂《さび》れた町中を抜けてゆく。

「勝っちゃん」

「清一さん、よくお戻りに」

若者は日焼けした顔を笑顔で歪《ゆが》め、目を輝かせた。田島勝彦《たじまかつひこ》という海江田家の使用人であった。海江田清一とは竹馬《ちくば》の友である。

「親父の容体はどうだい」

「いつも眠っておいでです。ときどき目を開けられて、あたりを見回しておられます。奥さまによれば、若旦那のお帰りをお待ちなのだろうと――」

「若旦那はやめてくれよ」

海江田清一の父阿礼《あれい》が自宅の居間で倒れたのは一昨日の朝のことである。

主治医の兵藤《ひょうどう》医師によると脳に腫瘍《しゅよう》が出来ているらしいという。完全な設備のある福井の病院に連れていこうとする兵藤医師に対し、まだ意識のあった阿礼は口から泡を吹きながら反対した。自分はこの神社の祈りと火を絶やすわけにはいかない、死ぬならこの辰野《たつの》村で死ぬといってきかなかったのだ。しかたなく家人は阿礼を自宅で看病することになった。

海江田阿礼は辰野村にある黒龍《こくりゅう》神社の宮司《ぐうじ》で、今年還暦になる。船員時代怪我《けが》をしたことはあるが、病気はいまだかつてしたことがないのが自慢だった。いつも神社の本殿に守護の火を絶やさず、祈りを捧げ、暇のあるときには元気に渓流釣りをしたり、山登りなどをしていたのだ。

この報せを海江田清一は中隊長の安藤輝三《てるぞう》大尉から受けた。妹の礼子が中隊長あてに電話を入れたのだ。

安藤大尉は「海江田、すぐ帰ってやれ」と五日の休暇をくれた。その夜の夜行で飛んできたのだった。東海道線で米原《まいばら》へ出て北陸本線に乗り換える。敦賀《つるが》では乗換列車を朝まで待たなければならなかったから、福井に着いたのは翌日の昼ということになった。東京駅を出てから十七時間だった。

父の阿礼は頑固者《がんこもの》だった。福井の病院を嫌がったのだとて、その頑固さのなせるわざだ。清一はその父を説得して福井の国立病院に入れるつもりだった。いくら父の意向に逆らうといっても、死なれるよりましだろう。

車はがたがたと田舎道を進んでいった。

両側は田畑であるが日照りが続いて枯れ草の原のようにも見える。一昨年東北を襲った大凶作は福井にしても似たようなものだった。前の年に続き今年になっても、まるで何かに祟《たた》られたように、凶作は続いていた。田畑に働く農夫の姿がないのがなによりその深刻さを物語っていた。

正面に山の連なりが高く立ちはだかっている。斜面の杉木立が陽炎《かげろう》に揺らいでいる。頂上は雲に隠れて見えない。左手の枯れ草の原の向こうに大きな川が姿を現わした。

九頭龍川《くずりゅう》——福井・岐阜の境、岐阜側の油坂峠《あぶらざか》を源に発し、福井県の北部を、途中幾多の川を合わせながら、蛇行《だこう》して日本海に注ぐ——流路延長百十六キロ、流域面積二千九百三十平方キロの福井県随一の川である。

水量は少なく、ススキと夏草の茂る河原が半分以上を占めていた。

車は川に沿って遡《さかのぼ》ってゆく——三十分ほどして山の間に入り込んだ。

「ところで――」

　と田島は運転しながら首を振り向けた。

「東京のこと、少し聞いてもよろしいですか」

「頼む、その堅苦しい言い方はやめてくれよ。勝っちゃんと俺の仲だ」

「ありがたいのですが、そうはいきませんよ。相沢中佐はやりましたね。事件を初めて聞いたときには気持ちがすっとしましたよ」

　海江田は苦い表情をした。

　田島が言及したのは今月十二日、陸軍省で起こったテロのことである。その日、台湾への赴任を前にした歩兵第四十一連隊の相沢三郎中佐は陸軍省軍務局長の永田鉄山《ながたてつざん》少将を軍刀で斬殺《ざんさつ》し、世情《せじょう》は騒然となった。めった斬りである。永田少将の首は皮一枚残してかろうじて繋がっていたという。

　相沢中佐は調べに対し「永田局長閣下は悪魔の総司令部であると思い、大逆《たいぎゃく》の枢軸《すうじく》を殲滅《せんめつ》して昭和維新の大業《たいぎょう》を翼賛《よくさん》し奉《たてまつ》ろうと思ったのであります」と平然と陳述した。

2

昭和六年（一九三一）九月に柳条溝《りゅうじょうこう》事件で始まった日本軍の大陸侵攻作戦は泥沼にはまりこみ、軍部は、際限なく軍隊を増強していた。

ドイツではナチが政権を握り、着々と戦争への軍備を急いでいた。日本では昭和九年東北地方の大凶作で、娘を身売りしなければならないほどの不況と貧困にみまわれていた。日本軍部は中国侵略によって不況から脱出しようとし、昭和七年には満州国を建国した。

日本の大陸侵攻は必然的に中国ばかりでなくアメリカの反発を招いた。軍部は戦争への道をひた走る。言論も抑圧された。軍部は来るべき総力戦に備えるため、国民総戦時体制による強力な軍事国家を目指したが、軍部内にもいつしか「統制派《とうせいは》」「皇道派《こうどうは》」の二つの派閥《はばつ》が生まれ対立した。

「統制派」はあくまでも法律規則にのっとって戦争を準備しようとするいわば官僚的なもので、「皇道派」は天皇を頂点とした神国《しんこく》として昭和維新を断行《だんこう》しようとする精神主義的なものであった。

皇道派の青年将校たちは貧農の出身者が多かった。国民が貧困なのは政界財界が癒着《ゆちゃく》し、農民や労働者から搾取《さくしゅ》するからだとして、これをクーデターによって除くことを考えた。

昭和六年の『三月事件』『十月事件』といった未遂事件を経て、昭和七年五月、海軍急進派将校が犬養《いぬかい》首相を襲撃殺害するという『五・一五事件』が起こる。

だが、この時の裁判の加害者に対する処置が甘すぎた。憂国《ゆうこく》の志士として国民もこれを持ち上げた。ために『血盟団《けつめいだん》事件』のような民間のテロも続発した。

相沢中佐事件も明確にその延長線上に位置した。

青年将校たちの不満は軍備の増強が思うようになされていないということにあった。このままでは仮想敵国ソ連との軍備の格差がどんどん開いてしまう。劣った軍備で前線に出されるのは青年将校なのであった。しかも相沢中佐の例に見られるように、皇道派の将校や兵士を邪魔者として台湾や満州へ転任させることも多くなっていた。少なくとも皇道派の将校たちにはそう見えた。

この事件はその残虐非道な行為にかかわらず、皇道派の青年将校たちは自分たちの気持ちを代弁したものとして喝采《かっさい》をもって迎えた。

相沢中佐に続け――クーデターによる昭和維新を目指す青年将校たちの間には焦《あせ》りが生まれた。

クーデター実現のための会合を取り仕切ったのは磯部浅一《いそべあさいち》と村中孝次《むらなかたかじ》だった。ふたりは昭和九年にクーデター未遂、十年の七月に『粛軍《しゅくぐん》に関する意見書』を頒布《はんぷ》し、ともに免官になったものの、青年将校と密接な連絡をとり決起計画を練り上げようとしていた――ふたりは古巣の陸軍に愛憎半《なか》ばの思いを抱いていただけに、その動きは執拗《しつよう》だった。

歩兵第三連隊の海江田清一少尉も、そんな青年将校たちの真《ま》っ直中《ただなか》にいることになった。

海江田の直接の上司である中隊長の安藤大尉は今の決起には懐疑《かいぎ》的であったから、無理やり海江田少尉を引き込むことはしなかった。海江田少尉も反対だった。テロで世の中がうまくいったためしがあるだろうか。とはいえ、もし安藤大尉が起《た》つ時は海江田も同調するだろうことは、海江田自身にも分かっていた。

その落ちつかない時期の帰郷であったが、気持ちを整理する上ではかえってありがたかった。

海江田清一は今年二十三歳である。士官学校を出て少尉に任官して以来、福井の実家には帰っていない。まる二年ぶりである。

田島勝彦は黒龍神社のすぐ近くでわずかな田畑を耕す貧農の四男坊だった。遊び友達の清一に誘われて海江田家に出入りするうち、薪《まき》割りや庭掃除などの雑用をこなすようになり、素直で生真面目な性格を気に入った阿礼に請《こ》われて、小学校を出るとすぐ海江田家の使用人となった。一方、清一は東京に出て陸軍士官学校に入った。勝彦は貧しい小作たちが凶作に耐えかねて自殺したり、娘を身売りするさまを見て育ってきた。そんな彼にとって、海江田清一少尉は憧れの的であり期待の星であった。

青年将校たちが世の中をなんとかしてくれるだろう――。

だからこそ、相沢中佐のテロについても興奮を見せたりするのだった。

「あれは、まずかったと思う」

と清一は答えた。

「なぜですか」

勝彦は不満そうに訊いた。

「軍務局長ひとり斬ったところで、かえって統制派の連中に取り締まりの口実を与えるだけのことだ。おかげで、なし崩しに皇道派の将校たちを外地に転任する計画が進んでしまった」

「しかし——このままでは日本は駄目になります。満州国をしっかり押さえて穀物や石炭を輸入することです。食いつめた農民は満州に移住させます。それ以外にこの不況を乗り切る方法はありません。堕落《だらく》した財閥も政治家も元老《げんろう》も、一挙に斬り捨てるのです」

「堕落した人間を除くことは賛成だ。だが忘れていることがひとつある。満州も中国もそこには人が住んでいるということだ。われわれと同じ貧しい農民たちがほとんどだ。彼らの気持ちも考えないとな」

「それはそうです。でも満州は広いじゃありませんか。どんなに日本人が行ったって土地は充分ありますよ。お願いします。わたしたちは若旦那たち将校さんに期待しているのですから」

車は九頭龍川とともに山の間に入り込んだ。

進むにつれ、ますます山は両側から迫り、川は切り立った崖《がけ》の下を流れるようになった。水量も増し、流れも急である。冷たい風が吹き上がってくる——。

道の両側はケヤキやブナの林である。

道が下り坂になり、カーブが多くなる。清一たちはますます渓谷に入り込んだ。

川と並ぶまで降りたところで、いくつもの丸いアーチを持つ長い鉄橋を渡った。斜交《はすか》いの川沿いに茅葺《かやぶ》き屋根の村落が近づいてくる。

辰野村である――家並の一番奥まったところが断崖になっていて、その上に黒龍神社の鳥居が見えている。清一の実家は鳥居の奥の社務所とそれにつらなる二階家だった。

橋を渡って右へ折れると、村の入口に娘が立っていた。

首筋の長い長身の娘だった。車に向かって走ってくる。白い半袖のシャツに黒のフレアスカート。そのくせゴム長をはいている。黒髪が風にそよぎ肩を流れた。

妹の礼子だった。

3

勝彦が車を停め、海江田は車の巻き上げた砂埃《すなぼこり》の中に降り立った。

「兄さん、おかえりなさい」

礼子は走り寄り、兄の手を取った。大きな瞳がきらりと光った。涙が浮かんでいるのに清一は感動した。海江田は手を引いてあらためて妹を見た。

礼子に会うのは二年半ぶりであった。今年十七になっているはずだ。ぎすぎすしていた身体に丸みがついて、それが清一には眩《まぶ》しかった。

十四年前、清一の母静子《しずこ》はあやまって川に転落し溺れ死んだ。突然の母の死に、幼い清一は取り乱し、裏山の墓地に運ばれる柩《ひつぎ》に泣きすがって、阿礼に殴り飛ばされた。その痛みはいつまでも心に残り、父の再婚がその傷をさらに広げた。おまけに後妻の昌枝《まさえ》には礼子という連れ子がいた。その煩《わずら》わしい日常から逃れるために福井の陸軍幼年学校に入ったのだった。

阿礼は清一に神社を継《つ》がせたがっていたから、軍人になることには反対だったが、息子の気持ちがかたくななまでに家を離れたがっていることを知っては、どうすることもできなかった。清一は勉学に励み、東京の士官学校に進んだのである。

清一と礼子は村の目抜き通りを抜けてゆく。

辰野村は戸数百戸もない谷間の寒村だった。山裾《やますそ》に段々畑があり、鍬《くわ》をふるう農夫たちの麦藁《むぎわら》帽子姿があった。清一をみとめ、首に巻いた手拭《てぬぐ》いを引き落として丁寧に頭を垂れた。清一は敬礼で礼を返した。ここまでは凶作は及んでいない。九頭龍権現《ごんげん》のおかげだろうか。

陽光がまばゆく、村全体がくすんで見える。その中で道ばたに咲いたヒマワリがやけに目立っていた。

村の方角から小さな鳥居を潜《くぐ》ると、正面にさらに大鳥居があった。川を背にして拝殿が聳《そび》えている。拝殿のうしろに石段があって、川の中に消えている。

階段のわきには吊り橋があって対岸の岩肌の窪みに向かって伸びている。その距離は百メートルを越えているだろう。

黒龍神社の本殿は川を隔《へだ》てた高い絶壁の窪みにあるのだった。

崖の上は鬱蒼《うっそう》とした森だ。崖の上に手つかずのまま密生した蔦《つた》や雑木が岩壁に人の髪のように垂れ下がっている。岸壁全体が巨大な人の顔のようだ。本殿のある窪みはちょうど人の口にあたっていた。

黒龍神社は九頭龍川の水神を祭っている。福井市の郊外、足羽山のふもとにある毛谷黒龍神社の分社である。

天明《てんめい》の頃の地滑《じすべ》りで社殿が水中に没し、長らく廃社となっていたものを、海江田阿礼が再興したのだ。阿礼は福井の水産学校を出て外国航路の貨客船の船員になっていたが、あるときなぜかふっつりと船乗り稼業の足を洗い、故郷に腰を据《す》えると私財を投じて神社を再建、自ら宮司の職に就《つ》いた。

あまりに唐突な転身の理由を問われると、阿礼は言葉少なに「龍神のお告げが下されたのです」と答えるのを常としていた。しかし、もとからの誠実な人柄と峻烈《しゅんれつ》なまでの敬神《けいしん》の姿勢、加えて外国語にも通じるその博識によって、いつしか村中の尊敬を集める存在となっていた。

海江田の家人は社務所に隣接した家に寝起きしているのだが、朝夕、阿礼は橋を渡って本殿で祈りを捧げるのが日課だった。

阿礼の家は社務所とは生け垣一枚隔てた庭の奥にあった。北側の一部だけが二階になっている。二階が阿礼の書斎。一階が昌枝と礼子のものだった。使用人は田島だけだが、彼は自分の家から朝早く通ってくる。

阿礼が寝かされていたのは、以前子供の頃、清一が使っていた部屋だった。東に面した奥の八畳で、清一が上京してからは客間用に改造されたものだった。

清一が病室の唐紙《からかみ》を開けると、主治医の兵藤医師と看護婦が顔を上げた。

病人は床の間を頭にして横たわっていた。

「阿礼さん、清一さんが戻られましたよ」

兵藤医師が病人の耳元で声をかけた。

清一は兵藤医師に礼を言って、阿礼の隣にひざまずいた。

「先生、いかがですか」

「ときおり目を覚まされるのですが、今朝からはずっと眠ったままです」

清一は父の顔を見た。

土気色《つちけ》で頬のあたりは白蝋《はくろう》のように照りが出ていた。後頭部は枕の中にめりこみ、尖《とが》った顎《あご》が出ている。これも尖った耳はまるで頭部から生えた翼のようだった。

瞼《まぶた》は黒ずみ、口は開いたままだった。

一目で死期が近いことが分かった。生きていることを示すのは、胸の上下と喉仏《のどぼとけ》のあるかなしかの動きだけだった。かつてつややかだった白髪も、生気を失い、まるで枯草のようだ。髭《ひげ》もここ二日ほどは手入れをされていないせいか白く伸びてきている。

もともと引き締まった長身だったが、こうしてみるといっそう背が伸びたように思える。死人はそういうものだ。清一は大陸の戦線に派遣されたとき、たくさんの死体を見てきている。その不吉なイメージを清一は打ち消した。

清一は父の手を取った。かさかさして水気がなかった。

「父さん、ぼくだよ、清一だよ」

最初は何の反応もなかった。肩に手をかけたとき、震えが阿礼の身体を走った。同時にその瞼が上がり、黒目が清一を捉えた。

口がふわふわと動いた。声にならないが、「清一」と応えているのが分かった。

阿礼の手が握り返してきた。清一は目頭《めがしら》が熱くなるのを覚えた。だが、その父の手がふと離れ、清一の背後を指差した。指先がぶるぶる震えている。清一がその手首を握りしめた。父の目が医師と看護婦を見て、それから唐紙の方に動いた。

清一とふたりだけで話したいと言っているのだ。清一は医師と看護婦に外に出ていてくれるよう頼んだ。

父とふたりきりになると、清一は阿礼の口に耳を寄せた。

阿礼の口が再びわななき、酸《す》えた口臭が沸《わ》き上がった。

「よく帰った。お前を待っていたのだ」

と父は笑顔を見せた。唇が上がって灰色の歯茎《はぐき》が露出した。舌には苔《こけ》が生えている。

清一は答えのかわりに笑みを見せて、手を握り返した。

「おまえに頼みがある。わしはまもなく死ぬ。そうしたらすぐ――」

と言って息切れしたのか口を閉じた。清一は父の体力が回復するのを待った。

しばらくして、

「焼いてくれ――」

と嗄《かす》れた声が漏《も》れた。

「焼くって何のことだい」

「わしの身体だ。すぐ焼いてほしい。一晩経《た》ってはいけない。その日のうちに必ず焼いてほしいのだ」

阿礼は神社の宮司であるから、死に出会うのは慣れている。たとえ自分の死だとしても、阿礼にとっては同じことらしい。だが、次の言葉はそれを裏切っていた。

「わしは死ぬのが恐ろしい……死にたくはない」

「大丈夫。福井の病院に行けば助かるよ」

「いやだ」

阿礼の手が清一の軍服の袖《そで》を掴《つか》んだ。

「だめだ。わしを病院に連れていってはならん」

「どうしてだい、父さん」

「わしはどうしても……この地を離れることは……できない。なぜなら……との約束があるのだから」

「約束って？　神さまとのかい」

阿礼が顔をそむけた。その眼から涙があふれだした。

「そうだ。〝神〟との固い約束がな」

「御神火《ごしんか》のことなら心配するなよ。父さんの留守の間は僕や礼子が絶やさないようにするから」

「それは当たり前だ。今は礼子が朝晩、引き継いでくれている……おまえの気持ちは嬉しいが、おまえは帝国軍人だ。いつまでもこの山奥の村にいるわけにもいくまいて」

その通りだった。安藤大尉がくれた休暇は五日である。それ以上休めるわけがないが、父を病院に入れるため嘘をついたのだった。

「今、魔物が目覚めようとしている。それを食い止めてきたのは御神火の力だ。わしが死んだら……ああ、なんとしてもそれを食い止めねばならない」

父は魘《うな》されているに違いないと清一は思った。

「魔物って何のことだい」

「はるか昔から九頭龍川の底に棲《す》みついている魔物のことだ。そいつが今、この世に現われ出ようとしている。いいか、約束してくれ。御神火は決して絶やさない、わしの遺体をその日のうちに焼くと――」

このときばかりは阿礼の目は大きく見開かれ、その手は震えながらも病人とは思えない力で清一の襟《えり》を掴んだ。

「分かったよ、父さん」

清一がうなずくと、安心したようにその手が布団のわきに落ち、目は閉じられた。

清一は部屋を出て、医師を呼んだ。医師は阿礼の脈を見て、その手を布団の中に押し込んだ。

4

清一は庭に降りた。黒龍神社の本殿に行き、父の病気快復を祈ろうと思った。

吊り橋を渡った。足の下五メートルほどのところに九頭龍の急流がある。橋の長さは百メートルだが、それよりもはるかに長く見える。支柱は鉄製だしワイヤーがきっちりと張られていたから安全なはずだったが、揺れは避けがたい。赤く塗られたワイヤーの手すりに掴まっていなかったら流されてしまうような気がしてくる。

清一も子供の頃からこの橋は渡ったが、軍人となった今でも、足元を過ぎてゆく冷気が恐怖を生み出すのは変わらなかった。

だがそれだとて、岩窟《がんくつ》の窪みの生み出す寒さに比べればましだった。

夏だというのに、窪みは吐く息が白くなるほどだ。昔からそうだった。その中に古びた木造の本殿が溶けこんでいる。幅五メートル、高さも五メートルほど。背後は岸壁に接している。足元はコンクリートで固められているが、建物自体は、川底から引き上げられたままといってよかった。着色もされておらず、朽ち欠けた灰色の建物だった。拝殿ではないので賽銭《さいせん》箱や鈴はついていない。

木の格子に手を添えて覗《のぞ》き込むと、まばゆい光が清一の眼を射た。この光を浴びるのは久方ぶりのことだ。眼を閉じていると瞼に温かみが伝わってくる。

御神火である。

阿礼が儀式を執《と》りおこなう座の向こうに祭具を経て大きな鏡が置かれている。鏡は内側がへこんで凹面鏡になっている。御神火はその前の燭台《しょくだい》で燃えているのだが、炎を鏡が拡大するので、まばゆい大きさになって格子から発しているのだった。その裏手の御神体は御簾《みす》の内にあって人目に触れることがないように秘められているのだ。清一にしたところで御神体を見たことはない――。

清一は柏手《かしわで》を打ち、阿礼のことを祈った。

目を閉じているとき、ふと首筋に誰かに見られているという感じを受けた。振り返ると巡査が立っていた。

幼い頃から顔見知りの水島という駐在だった。老眼鏡をかけ、やけに大きなカイゼル髭を生やしている。堂々たる貫禄《かんろく》である。その駐在が清一をみとめて敬礼した。サーベルががちゃりと鳴った。

「はるばる東京から大変だったでしょう。汽車は混みましたか」

「いえ――」

「お父上のことはご心配ですな。御容体は？」

「かんばしくありません。水島さんはどうしてこちらに？」

「昨夜、この岩場に女が立っていたのを、ある村人が見たというので、調べに来てみたのです」

「女が？」

「さよう」

おかしな話だった。村の女が願《がん》をかけにきたのか。それにしても、夜というのは解《げ》せなかった。

「村の方から見て、女だとどうして分かったのでしょう」

「それが、長い黒髪が白い和服の上に流れていたと言いましてな。まるで死装束《しにしょうぞく》のようだったというのです」

「村人でそんな心当たりがあるのですか」

「今のところ誰も名乗り出た者はいません。女が立っていたというのは、そこなんですが」

と水島巡査は川下よりの岩棚を指差した。

「不思議ですね」

「幽霊ですよ、きっと」

と言って、水島巡査は笑みを浮かべてみせた。

「気のせいでしょうな。それにしても宮司には早くお元気になってほしいと思いますな。あなたのお父さまは村の誇りでもありました。本当に村のために水神に祈ってくださっていた。今、福井や大野のあたりは凶作です。東北地方も同じです。それなのにこの村はご覧のように作物も順調に育っている。宮司さまのおかげなのですから――」

言いながらこの駐在の眼鏡の奥に光るものがあった。駐在は善良すぎて自分の思いを隠すことができない。父のことを過去形で言った。阿礼が生きているとは到底信じていないのだった。

5

清一は拝殿のわきの家に帰った。拝殿と角《かど》でコの字型につながっている。集会場を備えている半分二階建ての瓦《かわら》屋根の家だった。小さな村の中では庄屋の東山家に次ぐ大きな家だ。集会場には氏子《うじこ》の有力者たちが阿礼の見舞いに集まっていた。義母の昌枝が村の女たちとともに、茶や酒でもてなしていた。昌枝は黒い喪服を着ている。

「大変なことで」と恰幅《かっぷく》のいい東山悟《ひがしやまさとる》が清一に言った。「きっと龍神さまが助けてくださいますよ」

昌枝が清一に気づいて、やってきた。

「ようお帰り。あなたの顔を見たらほっとしました」

と昌枝はその大きな目で清一を見上げた。

静子を亡くしてから、阿礼は憑かれたように祈祷《きとう》に明け暮れ、清一の世話は交替で賄《まかな》いに来る近在の主婦に任せきりだった。見かねた氏子たちが協議して、やはり不慮の事故で夫を亡くし、幼い娘を抱えて困窮していた昌枝との再婚を勧めたのだった。その幼女が礼子であったことはもちろんである。だから清一と礼子は、兄妹とはいえ血はつながっていない。

清一の頭の中には母の静子がまだ生きていた。義母をすんなり受け入れられるはずもなかった。表面上は波風が立ったわけでもないが、お互いにどこかよそよそしいものがあった。

その間を取り持ったのは幼い礼子だった。礼子はよく清一になついた。清一もよく肩車して連れて歩いた。だが成長するにつれ、清一は息苦しさを感じるようになった。礼子は相変わらず「お兄ちゃん」「お兄ちゃん」とまとわりついたが、清一としては落ち着かない。清一は礼子に女を意識する歳になっていたのである。清一が福井の幼年学校に入り、上京したのも礼子への思いが一因だった。阿礼もそれを察したのかも知れなかった。

「立派な軍人さんにおなりだね」

「義母《かあ》さん、喪服というのはどういうわけです」

「お父さまは助かりませんよ。龍神さまのところへ行っておしまいなのだから」

「まだ分からないよ」

清一は憮然《ぶぜん》として食ってかかった。

「わたしには分かるのです。あの人はもうわたしの手が届かないところに行ってしまわれた」

昌枝の思い詰めた表情に清一は切り返すことができなかった。

「ところで、義母さんは、ゆうべ本殿に行かなかったかい」

「どうして」

「誰か女の人が立っていたって、駐在さんが言っていた」

「水島さんが？　幻を見たのですよ。わたしはそんなところへ行きはしません」

と昌枝は言ってのけた。清一はそのときになって昌枝が髪を短くしているのに気づいた。本殿の前にいた女は髪が長かった……昌枝ではなかったのだ。

6

阿礼は神社の宮司、それも寒村の宮司には珍しく、二階に洋風の書斎を持っていた。

清一も子供の頃、父の不在の間に入り込んで、帰ってきた父にこっぴどく殴られたことがあった。家人が入るのを固く禁じていたのだ。

清一が最後に阿礼を見たのは、二年前正月休暇を終えて清一が士官学校へ戻る際、書斎の黒い革椅子に座った後ろ姿だった。髪こそ長いままだが、書斎に入るときの父は、昼間の和装とは打って変わって、船員時代に着用していた色槌《あ》せたベージュのセーターにズボン姿だった。パイプをくわえ机に向かっている。

「お国のためにがんばるのだ」

東京へ戻る清一に、父はそう後ろ姿のまま言ったのだった。

その父が今「魔物が蘇《よみがえ》ろうとしている」「自分の身体を早く焼いてくれ」という。その理由を知るには、まず父の聖域である書斎に入ってみる他はなかった。

書斎は八畳ほどあるはずだが、壁面は天井まで本で埋まっており、ソファと机が置かれ、その上にも本が積まれているので、広さはまるで感じられなかった。

窓は北側だけである。

南側に窓があれば、日当たりは良いし川の向こうの岩窟の本殿が見えるはずなのに、不思議なことだった。清一が尋常小学校のとき、父になぜ南側に窓がないのかと訊《き》くと、父は、本を読むには窓が邪魔なのだと答えた。

部屋に入ったすぐ左手の壁際にベッド、中央に革のソファがあり、酒落《しゃれ》た形のフロアスタンドが置かれていた。ここで父は本を読んでいたのだ。北側の窓に面して机と椅子がある。

清一は部屋の真ん中に立ったまま、あたりを見まわした。

本は神道・仏教関係の経典や研究書や『日本霊異記《にほんりょういき》』『今昔物語《こんじゃく》』『日本書紀』『先代旧事本紀《せんだいくじほんぎ》』『平現縁起《ひらげんえんぎ》』……そんな内容の知れない写本類から蘭学書とおぼしきものまである。

社務所には多くの人が出入りしているというのに、確かにこの部屋は静かであった。だが、熱気は耐えがたい。窓を開けようとしたが、嵌《は》め殺しになっている。これでは息がつまってしまうではないか。父は換気をどうしていたのか気になった。

どこかに窓があるはずだと思ったとき、背中に刺されたような感じを覚えた。

振り返ると壁を占める本の連なりがあるだけである。掌《てのひら》を当てて探ると、本箱の継ぎ目から冷気が来るのだった。

本箱を軽く押すと、手応えがあった。さらに力を入れると、本箱の一角が右側を軸にしてぐるりと回転した。

同時に冷たい空気が吹き出してきた。隠し扉になっていたのである。入口のわきにスイッチがある。

清一は電気をつけた。

赤い絨毯《じゅうたん》が敷きつめられている。南北に細長い部屋で北側と西側の壁を本が埋めていた。打って変わって洋書ばかりだった。それも分厚い革背の書物が多い。南側の壁には赤いビロードの布が舞台の緞帳《どんちょう》のように吊られていて、その前の棚に不思議な石の像が置かれていた。その両側に銀の燭台が置かれている。これは何かの祭壇なのだった。

像を掴もうとして、はっと手を引いた。氷のような冷たさだ。冷気は像から発しているのだ。像は高さ三十センチほどのもので、絵の具の入り混じったような毒々しい模様の石を磨き上げられて出来ていた。

翼をおさめた鷹《たか》に似ているが、頭部は人間のものだった。頭に髪はない。尖った耳、尖った顎、高い鼻、くぼんだ眼。引き締められた唇。端正で意思の強さを示している。

清一は思いきって像を掴んだ。重い。冷たくはあったが、さっきほどではない。冷気を感じたのは気のせいなのかも知れないと清一は思った。裏を返してみると、その下に置かれていたものがぱらりと落ちた。

手紙だった。

船便の封書である。英語で「ミスター　アレ　カイエダ」宛てになっている。差出人は単純に「ハワード」とあった。フルネームでは書かれていない。発信地は米国ニューイングランドのプロヴィデンスとなっていた。六月三日に書かれ、八月十七日に着いている。

封は切ってある。清一は薄い便箋《びんせん》を取り出して読んだ。士官学校で習った英語は役に立った。

『親愛なるアレ。元気にしているだろうか。ぼくは今病院の診察を終えてきたところだ。医師は胃腸の病だというが、癌《がん》であることは自分で気づいている。ぼくは今ブラウン大学の公開講座を聴講しているし、クリスマスにはニューヨークでケイレム・クラブの友人たちと過ごすつもりだが、たぶん永くは生きられないだろう。そのことを伝えておきたいと思い、この手紙をしたためた。もうひとつ、さらに悪い報せがある。危惧《きぐ》していた通り、星辰《せいしん》のめぐりが数百年に一度の暗黒期に入ろうとしている。四、五年前だったか、あのこの上なく不吉な名前をもつ惑星の発見が悪《あ》しき前兆でなければよいが……と書いたのを覚えているだろうか。残念ながら予感的中。やつらの復活にもってこいの時節到来というわけだ。よりによって、こんなときに！　まだしばらくは防いでいられるだろうが、ぼくの体力の衰えとともに、大いなるＣＴＨＵＬＨＵは次第にその姿を現わす。おそらくは東の国日本で。気をつけてくれ。魔物たちは世界を戦乱の渦に巻き込もうと、すでに策謀《さくぼう》を始めた。日本が今一番あやうい。貴兄の活躍に待つのみだ。ぼくの教えを守っていれば大丈夫だ。多少の犠牲をともなうが、それは仕方のないことだ。世界を救うには他に方法がないのだから。

きみの永遠の友ハワード

一九三五年六月六日　カラスがやかましく鳴く夜』

奇怪な文面だった。カラスが夜鳴くものだろうか。ハワードという名前に心当たりはなかった。

阿礼は国際航路の船員をしていたからアメリカにも当然行っている。その時に出会った友人とみるのが当たっているだろう。船員仲間なのかもしれない。ということは、この手紙の差出人とは二十年以上も前からの付き合いということになる。手紙からするとかなり親しく、連絡をとっていたものらしい。

手紙は到着まで二ヵ月以上かかっている。父が受け取ったのは三日前、あるいはこの手紙が引き金となって、阿礼は倒れたのではなかろうか。

なにしろ手紙の内容がおぞましい。

魔物が世界を日本を破滅させようとしている。それをハワードと阿礼は一緒に防いでいるというのだ。手紙ではハワードは癌で余命がいくばくもないから、後は阿礼にがんばるように、とある。ＣＴＨＵＬＨＵとは何だろう。意味どころか、何と発音するのかすら見当もつかない。

二十数年もの間、阿礼は辰野村に籠《こ》もって外に出ることはなく、ひたすら黒龍神社の宮司をつとめ御神火を絶やさずにきた。阿礼はハワードという男に指示されるままに、魔物を封じてきたということか。父もこの男も頭がおかしいのかも知れない。

清一はもう一度、石の像を手にした。

これが魔物の像なのだろうか？　違う。当の魔物を祭るはずがないではないか。

このことと父の言葉と何か関係があるのだろうか。やはり、馬鹿げていると、清一は思った。

清一は息苦しくなって部屋を出た。

途端《とたん》に熱気が襲ってきた。すでに日は西に傾き、川の対岸は陰り濃くしていた。橋の正面の鳥居が、灰色に見えている。

7

見舞いの青年団のものたちには社務所の集会所で食事と酒の用意がされ、長男である清一はその相手をしなければならなかった。

「中国の戦況《せんきょう》はどうなのですか。軍人さんは大変でしょうが、ひとつお国のためにがんばってください」

と言って杯《さかずき》を清一に渡し、徳利《とっくり》を傾けたのは村長の佐伯一真《さえきいっしん》だった。日露戦争にも従軍した在郷軍人会《ざいごうぐんじんかい》の会長である。

「満州さえしっかり押さえておけば、今の不景気などすっ飛んでしまうわい。貧しいものは満州に行けばよいのです。いくらでも土地があるんですからな」

「そう簡単にはいきません。蒋介石《しょうかいせき》や共産党軍の抵抗も強まっています」

「なあに、帝国陸軍の前にはひとたまりもありゃせん。わが国は中国を列強の侵略から守ってやっているのですから」

昭和六年九月に始まった満州事変は翌年一月第一次上海事変《しゃんはいじへん》にと拡大し、いつ収まるとも知れなかった。

満州国の建国が宣言されるのは七年三月。九年三月には皇帝溥儀《ふぎ》のもとで帝政が開始された。もちろん日本のひもつきである。蔣介石の中国国民党とともに毛沢東《もうたくとう》の共産党は抗日戦線を敷いて、果敢《かかん》に戦いを展開していた。

欧米各国の世論は日本に不利で、日本は八年三月には国際連盟を脱退せざるをえなかった。

ドイツでは『オーストリア人の伍長殿』のナチ党が政権を握り、第一次世界大戦の名残であるヴェルサイユ体制を破棄《はき》し軍備を増強していた。日本はドイツとともに世界の鼻つまみになりつつあった。

一方、昭和四年に始まった世界恐慌《きょうこう》は日本経済を直撃し、労働争議が相次いだ。六年の北海道・東北地方の大凶作が追い打ちをかけた。小作料《こさくりょう》を払うために娘を身売りするものも多発した。国民は中国大陸に夢を託した。軍部への献金が異様に多くなったことがそれを証明している。

当初軍部の独走に批判的であった国民も、今では軍の活躍に期待するようになっていたのである。軍部は天皇を中心とした軍部独裁政権による臨戦体制を目指し、突き進んでいた。

とはいえこの時点、中央政府は必ずしも一枚岩ではなかった。軍の暴走を抑えなければいけないと考えるのは、国家財政をあずかる政府としても当然のことだった。軍備はこの時点ですでに国家予算の三十パーセントを超えて止《とど》まるところを知らなかった。現在の国防予算が国民総生産の二パーセントであることを比較すれば、どれほど当時の軍備が経済を圧迫していたか自明である。

それでも戦争に願いを込めなければならなかったジレンマが、国民に異常な精神状態を生み出したといえる。このジレンマを脱出するにはさらに軍備を増強して戦いに勝つこと、そう思い詰めたのは青年将校たちばかりではなかったのだ。

「中国人も人間です。虫けらではありませんよ」

清一のその言葉に相手はちょっと裏切られた表情になった。清一は反論を聞くのが嫌だったので「失礼」と席を立って庭に出た。

義母の昌枝が後についてきた。

「父さんのところに外国から小包や手紙が来たことはあるかい」

「ええ。ときどき。わたしは英語なんか分かりませんからね。船乗りをなさっていた頃のお友達だとおっしゃっていましたよ。どうかなさったの」

「書斎には洋書がいっぱいあったからね」

「いつも籠もって読んでいらしたのかしら」

「…………」

「でも……何か……ありました？」

言外に遺書のことを匂わせている。

清一は首を横に振った。それに部屋の中のことはまだ義母に話す気にはなれなかった。

向かいの岸壁はもはや夜の闇の中に溶けこんでしまっていた。

川音が両岸の岸壁にこだましている——。

食事は義母と礼子と三人だけだった。山菜《さんさい》も川魚も勝彦が採《と》ってきてくれたものだと礼子は嬉しそうに言った。

もしかすると礼子は勝彦のことを好きなのかも知れないと清一は思った。

川魚と山菜。胡瓜《きゅうり》の漬物に味噌汁は懐かしくはあったが、疚《やま》しい気持ちなしに白米を食べることはできない。この辰野村はともかく、凶作の影響は日本全土を覆っているのだから……。

父の病室で、どさりと微《かす》かな音がした。

「わたし見てくるわ」と礼子が箸《はし》と茶碗をおいて出ていった。

「おかわりしましょう」

と昌枝が手を出した。

「いや、もういい。御馳走《ごちそう》さま」

ふいに背中で唐紙《からかみ》が開き、風が吹き込んだ。

「兄さん、お父さまが――」

襖《ふすま》に掴まって立った礼子の顔は蒼白だった。

清一は父の寝かされている部屋に急いだ。

海江田阿礼は床から身体をはみ出させて動かなかった。

うつぶせに身をのりだし、右手は前に差し伸べられて、五指を掻《か》き毟《むし》るように曲げていた。その目は飛びださんばかりに見開かれ、歯を剥《む》き出しにしていた。

清一が助けおこすと唇から粘液が畳に糸を引いた。とっさに胸に耳を当てた。心臓の鼓動はない。

礼子とふたりして布団に戻した。

医師が駆けつけ、心臓に耳を当てた。脈をとり首を横に振った。わずかに残っていた赤みが阿礼の頬からひいていった。清一は掌《てのひら》でそっと父の目を閉じさせた。

阿礼は午前一時十三分、息を引き取った。

8

海江田阿礼の遺体は神社の拝殿に安置された。集会場にいた村人たちが中心になって、ただちに通夜と葬儀の支度《したく》が整えられた。

神社の当の宮司が死んだ。山のふもと九頭龍川の四十キロほど下流にある大野村から宮司が呼ばれることになり、田島が迎えに車を走らせた。

夜が明けて、暑い一日が始まった。

昌枝も礼子も通夜の支度で台所に入ったままだった。村の女たちが出入りしている。

弔問客《ちょうもんきゃく》の相手は清一が遺体のわきに座って務めた。

だが、清一の頭の中はめまぐるしく回転していた。父は明らかに床から這《は》い出そうとして死んだのだ。どこへ行こうとしたのだろう。ハワードという男のことも気になったが、こちらの方はどうにか頭の中で整理がついた。ふたりとも魔物のことを言っているが、精神に異常をきたしていると考えた方が当たっている。

父は海外のどこかでハワードと知り合い、その影響を受けた。だからこそ、魔物が蘇《よみがえ》るなどという妄想を抱くに到ったのだ。気になるのは、父の最期の言葉だった。死んだらその日のうちに焼いてくれ――。

とはいえ、清一は瀕死《ひんし》の阿礼の願いを叶えてやるわけにはいかなかった。

このままの段取りでいけば、今夜が通夜、翌日が告別式だ。火葬に付されるのは死んでから三十数時間後ということになる。だいいち日本の法律では十二時間以内の火葬は禁止されているのだ。あえてそれを破ることは清一としてもできなかった。

夜になり、通夜が始まったが、大野村の神主の到着は遅れていた。到着して祈りが終われば、遺体は柩に収められる。

ひとしきり弔問客があったあと、なんとなく客が減り、遺体のわきには清一ひとりとなった。そのとき線香の臭いに混じって異様な臭気を嗅いだのだった。

ガスの臭いに似ていると最初思ったが、東京ならともかく、こんな山奥にガスが来ているわけもない。清一はずっとこの場に座っていたから鼻が慣れてしまっていたのかも知れない。通夜の客たちが早々にこの場を離れるのはこのためだったのだ。

ふと、脛《すね》にむず痒《がゆ》さを覚えて見下ろした。蟻《あり》が足をのぼってくる――。

清一は払い落とした。蟻は畳に落ちたが、他にも蟻たちはいた。それも無数に。

拝殿の階段を上がり、畳に列をなして動いている。その行き着く先に阿礼の遺体があった。布団の上にも上がり込んでいる。

清一は遺体の白布を取った。

阿礼の耳といわず鼻といわず蟻がたかっている。死装束《しにしょうぞく》の襟からも潜り込んでいる。

清一は思わず阿礼の顔に群がる蟻を手で払った。遺体の眼窩《がんか》からも湧き出してくるようだ。

腐臭のもとは父の遺体だった。腐敗がことのほか速い。

いくら夏とはいえ腐敗が始まるまでにはもう少し時間がかかるはずではないか。

清一は客に失礼があってはならないと思った。このような父を人目にふれさせたくはなかった。

清一は昌枝を探して、庭に出た。台所で訊くと、昌枝は村の入口まで神主を迎えに出たということだった。

こうなればひとりで父の遺体を柩に収める他はない。村の葬儀屋まで柩を催促に行った。まもなくお届けしますからとのことだった。

清一が拝殿を出て戻るまでには十分ほどかかった。

その間に海江田阿礼の遺体は布団の上から消えてしまっていた。

清一はうろたえた。だれかが遺体を動かしたのかと思った。

だが、布団の下から抜け出した足跡を見たとき、清一の頭の中はかっと白熱した。足跡の形に蟻が走り回っているのだ。板敷《いたじき》の回廊はもともと磨き上げられていたから、足跡はよく見えた。回廊の裏手に続き、板敷の端で途切れていた。

正面の夜の闇の中に、吊り橋がぼんやりと伸びている。

橋の終わり近くに白いものを見たように思った。

白いものは橋を渡り、しばらく立ち止まった。こちらを見たように思えたが、気のせいかも知れない。

白い人影は揺らぎながら岩窟《がんくつ》の闇の中に消えた――。

清一は拝殿を飛び出し、吊り橋に向かった。足元の流れが沸きたって見えた。渦が無数にできている。

突風が橋を揺すり、清一は思わず手すりに掴まった。見えない何かが清一の進むのを遮《さえぎ》ろうとしているかのようだ。それまで出ていた月の上を黒雲が流れて飛んでゆく。崖の上の木立が騒いでいる。

清一は橋を渡った。

不吉なものを感じた。御神火が見えない――。

「誰かいるか！」と呼んでみた。風が洞窟に吹きこみ、吠え声を上げている。風の強さに応じて大きく小さく響き渡る。

ギキーと音がした。

本殿正面の格子が鳴ったのだ。鍵はかかっていない。

階段に裸足《はだし》の足跡がついていた。昼間清一が来たときにはなかったものだ。清一は階段を上がって格子戸の中に入り込んだ。

鏡の前の燭台の御神火は消えていた。祭壇の御簾《みす》が風に揺らいでいて、その背後に厨子《ずし》が安置されているのが見えた。清一は燭台にマッチで火を点けようとしたが、どうしても点かない。冷気が打ち消してしまうのだ。

9

「父さん、いるのか」

と清一は思わず叫んでいた。返事の声はなかったが、どこかで唸《うな》りのようなものが聞こえた。

板敷の上の足跡は祭壇を右から回り込んで奥へ続いている。一角が揚《あ》げ蓋《ぶた》になっている。その間にちぎれた白い布片が挟まっていた。

父の屍衣《しい》だった。

間違いなく、父は生き返り、この下に潜ったのだ。風はそこから来るのだった。

清一は蓋を開けた。

むっと生ぐさい臭いが上がってきた。清一はなぜか子供の頃川のほとりで見つけた亀の死骸を思い出した。甲羅《こうら》を持ち上げると手足と首・尾の穴から泥のように溶解した亀の内臓が流れだした。あの泥の臭いだった。日向《ひなた》臭さと堆肥《たいひ》の臭い。そして黄泉《よみ》の世界への入口の臭い――。

その黄泉の世界へ清一は入り込んだ。中は石の階段になっていた。湿ってぬめりが出ていて足元はおぼつかない。

階段は十段ほどで、突き当たりに青白く出口が見えている。

階段を降《くだ》ってゆく。出たとたん視界が開けた。同時に「来るな！」と声がこだました。水音がばしゃり――これも幾重《いくえ》にも左右上下で響き渡った。

そこは驚くべき広さの地底の湖水だった。

岩壁はすべて苔生《たいせい》植物で覆われている。

湖水が青白い光を放っている。

清一が出たのは洞窟の中程だった。

そこからさらに石段が水の中に伸びていて、降りきった水辺に、父がこちらを向いて座っていた。

下半身は澱《よど》んだ水の中に消えている。

阿礼は右手を差し出し「来るな」と声を振り絞った。

清一は階段を飛び下りた。途中で足を滑らし、父の眼前に落ちた。異様に丈の高い苔《こけ》が伸びていてクッションの役目を果たした。

「父さん！」

父の目には黒目がない。白目のままなのに気づき、息が止まりそうになった。それでも手を伸ばして父の手を掴んだ。

ずるりと皮膚の皮が剥けて土気色の肌が剥き出しになった。

「帰るんだ、清一」

それには答えず清一はさらに父の肩に手をかけた。

「無駄だ、わしは魔物にこの身体を還《かえ》すのだから」

「何を言っているのか分からないよ」

「すべては厨子の中の遺書に書いてある」

父の口がわななないた。

「やつらが出てくる。逃げろ。そうして厨子の中の像で入口を塞《ふさ》ぐのだ！」

「分かったよ、だから」

と清一は力を加えて父の身体を引いた。水が小刻みに波立ちだした。洞窟全体が揺らいでいるかのようだ。

父の手の肉が削《そ》げ、骨が露《あら》わになった。

肩の関節が外れ、父の両腕が抜け落ちた。さらに引いたが下半身が何かに押さえられたようにびくともしない。

「逃げろ、清一！」

両腕をなくした父が叫んだ。父の顎から下がもぎれて、落ちた。

父の身体が裏返しになり、腹部に黒いものが見えた。ぬめりを帯びた蛇状のものが父の腹の中に潜り込んでいる。黒いものは水の中に伸びている。

水の中の光が増した。

どんよりとした水が沸き立ち、黒い巨大なものが現われた。水は滝のようにそいつの身体を伝って流れ落ちる。黒いものは何本もそいつの胴体から伸びて、宙にのたくった。そのひとつひとつの先端は丸い吸盤をなしている。

清一は軍刀を抜いて黒いものに斬りつけた。弾かれて清一の身体が揺らいだ。そのために清一は助かったといえる。別の黒い触手が空を斬り、清一の頭上を通り過ぎたのだ。

父の身体が引かれ、水の中に引きずり込まれた。

そいつの顔の真ん中に赤いものがふたつゆっくりと現われた。

全身が鱗《うろこ》で覆われている。

清一は恐怖のあまり階段に走った。背後で激しい水音がこだましたが、振り返る余裕は清一にはなかった。

トンネルを抜けるとき、追い迫る気配を察した。必死で揚げ蓋から這い上がり、厨子に走った。

振り返ると青い光が強まっている。魔物が上がってくるのだ。

清一は厨子に安置されていた像を掴み、揚げ蓋のところに戻った。何かの蠢《うごめ》く音が聞こえている。清一は像を蓋の上に置いた。

途端に動きが止まった。ずるずると音がして遠ざかってゆく。青白い光も消えていった。

清一は本堂の祭壇に戻った。御簾を分け、厨子に手をやった。

厨子の扉が半開きになっている。清一は開けてみた。

像はない。かわりに白い封筒が置かれていた。

表紙に『遺書　息子へ　海江田阿礼』とあった。

今にもあの魔物は揚げ蓋を撥《は》ねあげ、後を追ってくるかもしれない。清一は御神火に点火した。今度はうまくいった。揺らめき出た炎が鏡に照らされ、いっぺんにお堂の中を照らし出した。

清一は父の遺書を手に本殿を後にした。

吊り橋を行くと、九頭龍川の渦はいっそう大きくなっているように見えた。

本殿の洞窟全体が御神火で赤く燃え上がるようだ。本殿は今のところ魔物を封じている。その地底の湖水ではあの魔物が父の身体をむさぼり喰いながら、封じ込められた怒りを露わにしているはずだった——。

第二章　インスマスの花嫁――海江田阿礼の遺書――

1

清一は黙って父の匂いのする煙草くさい書斎に入り、父の椅子に座って『遺書』を取り出した。かなりの長文である。万年筆で便箋数十枚ほどにびっしり書かれている。それとは別紙に妻の昌枝と娘の礼子に宛てて、簡単な文章が記されていた。妻宛てには「長らく世話になった」とあり、礼子宛てには「田島勝彦と一緒になって幸せになってくれ」とあった。魔物のことには一切触れられていない。

清一は電気スタンドを点《つ》け、覚悟を決めて、読みだした。

明治四十三年（一九一〇）の夏、わたしは米国マサチューセッツ州エセックス郡の寂《さび》れた港町インスマスをたずねた。

がたがたとバスが走り去った後、砂埃が過ぎると、そこは古びたビルの連なった四つ角であった。雑貨屋・レストラン・ホテルといった名前が見えるが、人影は見当たらなかった。腕時計を見ると正午。温度は耐えがたいまでに上がっていた。陽炎《かげろう》が揺らぎたち、町全体を気《け》だるい夏の空気が覆《おお》っていた。

通りを中心に左手は貧しい庶民の家並み、坂の突き当たりは港で、砂地の向こうに低い堤防が見えていた。港近くに奇妙なパイプつきのビルが突き出ているのは金か銅の精錬所《せいれんじょ》であろう。ただしコンクリートには罅《ひび》がはいり、一角が欠けており、操業の気配は見えない。右手は白壁のビルが多かったが、ほとんどが屋根のない、壁の崩れた廃墟《はいきょ》であった。右手の道は峡谷に入りこんでおり、谷の上からは滝が銀の飛沫《しぶき》を上げ、町の西側を海に流れ込んでいた。

わたしは古びたボストンバッグを下ろし、開襟《かいきん》シャツの胸ポケットから地図を取り出し、港の方角に向かって歩きだした。目指すはナサニエル・マーシュの実家であった。

十日ほど前の七月十五日、アメリカ船籍《せんせき》の貨物船ローズマリー号(千七百トン)は大西洋を北アメリカに向かう途中、水夫ナサニエル・マーシュの水葬をおこなった。

かくいうわたしは船の水夫長をつとめており、哀れなナサニエル・マーシュの一番親しい友だった。ナサニエルは米西戦争にも従軍した気のいい男で、わたしたちは港々で酒場をハシゴし美味《うま》いものを食べ歩いた。ナサニエルは商売女を抱いたが、わたしは決して抱かなかった。愛した女以外とは交わらないというわたしを、さすがサムライの国の男だといって、気に入ったらしい。

わたしは彼のヤンキーらしい明るさを好んでいたし、彼の方ではサムライの末裔《まつえい》としてわたしの寡黙《かもく》さを気に入っていた。東シナ海の海賊と戦ったときには、鉄砲の弾丸を太腿《ふともも》に受け海に落ちたわたしをみずから飛びこんで助けてくれたこともある。それも鮫《さめ》のうようよする海域でのことだ。その頃わたしは三十代半ば、彼も同《おな》い齢《どし》だった。

そんな彼がフィジー島で熱病にかかり、いけなくなった。日増しに弱ってゆく彼のそばに、わたしはできるかぎり付き添うことにした。

「アレ、きみに頼みがある。きいてくれるか」

死ぬ前の晩、ナサニエル・マーシュは痩《や》せ細った手でわたしの腕を掴んだ。わたしが「おまえの言うことなら何でもきくよ」と言うと、彼はベッドの下からバックスキンの巾着《きんちゃく》袋をさぐりだして、わたしの手に握らせた。

「たのむ、これをインスマスの実家に届けてほしいのだ。そして妹エリザベスには兄がよろしく言っていたと伝えてほしい」

エリザベスなる妹にナサニエルは七年も会っていない。今年十七歳になるという。

貨物船ローズマリー号は五日後にエセックス郡のアーカムの港に入る予定だ。給油や食料の調達をふくめて、休暇は三日はあるだろう。インスマスという町は地図の上では同じ海岸線で百キロほどのところだった。日帰りが充分可能なのだ。ナサニエル・マーシュは安心したように息を引き取った。

葬儀を終えると、わたしはインスマス訪問の休暇をくれるよう船長に申し入れた。船長のプロデリック・ピーターセンは、職務にさしつかえると険《けわ》しい顔をして最初拒否したが、故人の最期の遺志を無にすることはさすがにできず、日帰りという条件で承知した。わたしはアーカムに着いた翌朝八時のバスでインスマスに向かったのである。折り返し夕方六時のバスで戻る予定だった。

アーカムからのバスは山の中に入り込んでゆく。汚れた窓ガラスから吹き込む熱気は、船乗りであるわたしにとってかなりこたえるものだった。

三人ほどいた乗客も途中で降りてしまい、客はわたしだけとなった。運転手はバックミラー越しにわたしの方を見ている。声をかけようとすると、つと目をそらす。

わたしが東洋人なので珍しいのかと思った。米国東海岸の町へ来るのは初めてである。港町ならともかく、田舎町ともなると物珍しさもさぞかしと思われる。西洋人は鼻が高く眼が大きい。切れ長の細い眼となると中国人か日本人ということになる。

ところが、わたしの浅はかな選別法は次の瞬間、あっさりと打ち破られることになった。運転手が汗をぬぐうため帽子を上げたので、顔が見えた。

額《ひたい》はほとんどなく、大きな目が、まるで瞼《まぶた》がないかのように露出している。鼻はひしゃげ唇は分厚い。猫背で、黒くて袖まである運転手の制服を着たままだ。夏だというのに異様なことではあった。

その眼の大きさときたら尋常《じんじょう》ではない。ある種の病気で似た症状が出ることは知っていた。その時はこの運転手は病気なのかと思ったものだ。

それなのに、病気ではなかったのだ。むしろインスマスの住人の特徴だったのだ。

わたしはインスマスの町中を歩きだしたが、その運転手と同じような容貌の男にひとりならず出会った。

剥き出しの眼。一様に猫背でひょこひょことがに股《また》で歩いている。おまけに足首が太く、一見蛙《かえる》のようでもある。

白い三階建ての教会らしい建物があった。ちょっと理解に苦しむのは尖塔《せんとう》の上にあるはずの十字架が見られないことだ。

かわりに円形の中に鯱《しゃち》のような図柄がくり抜かれた紋章がついている。同じ紋章は列柱を備えた入口の上にもついていた。

『ダゴン教団』と金文字で記されている。

新手の宗教らしい。その前を通った時、青銅の扉は開かれていて、暗い中から生臭い魚の臭いが吹き出しているような気がした。そんなはずはないと思った。港の方角から風が運んできたものだろう。

2

ナサニエル・マーシュの実家は、この教会と空き地ひとつを隔てた煉瓦《れんが》づくりの立派な建物だった。コンクリートに鉄柵を植えこんだ塀に囲まれている。背後が精錬所の建物である。そのコンクリートの塔には、かすれた文字が読みとれた。『マーシュ精錬所』。ナサニエル・マーシュの実家は金持ちだったのだ。もと金持ちといった方が当たっているだろうか。

大きな門扉《もんぴ》は半分開いたままになっている。

庭を被《おお》った枯れ草の多さ大きさに目をみはった。何年にもわたる枯れ草が堆肥のように重なり、その中から今年の夏草が伸びている。全体に枯れ草の海の印象である。

枯れ草のいくつかは玉をなして、陽光に強烈な臭気を発散していた。

わずかに玄関への通路にあたるところだけ石畳になっている。敷石《しきいし》は打ち水でもしたのか、なんとなく湿っている。

わたしは大きな樫《かし》の扉につけられた青銅のノッカーを打ちつけた。扉はすぐに開いた。なぜか、相手がわたしの訪問を待ち受けていたような気がした。

立っていたのはタキシードを着たずんぐりした執事《しつじ》だった。かなりの老齢である。小さな目、尖った鼻、薄い唇。それまで町で出会った男たちとは違っていた。わたしは事情を説明し、ナサニエルの御遺族にお会いしたいと告げた。そこは吹き抜けで、正面に踊り場を備えた階段がのび二階の回廊の手すりが見えた。

わたしが通されたのは北側の応接間だった。

応接間には窓がなかった。肖像画がぐるりと掛かっていて、いずれも額がなく髪は大きな目のすぐ上まで垂れ下がっていた。ひしゃげた鼻、分厚い唇。してみるとインスマスの人間は皆このような容貌をしているものらしい。

なんとなく生臭い臭いがしたと思うと、戸口に男が立った。

「ようこそ。ナサニエルの父ラドクリフです」

低い魅力的な声だ。長身だが彼は、その、なんといったらいいか、「インスマス面《づら》」をしてはいなかった。それどころか水も滴《したた》る美男子といってもよい。白い絹のシャツに黒いスラックス姿だった。

わたしはナサニエル・マーシュから預かってきた包みを鞄から取り出して手渡した。

中には金の小さなペンダントと手紙が入っている。

ラドクリフはペンダントを掌《てのひら》に載せてわたしを見た。なんだか、わたしの身元が初めて確認された、そういった風な感じだった。テーブルから銀製のペーパーナイフを取り出し手紙の封を切った。

「なるほど」

ラドクリフは手紙をたたんで封筒に戻した。

「ミスター・カイエダ、あなたにはお礼の申しようとてない。息子はあなたのような友達に恵まれて幸せ者です」

ラドクリフはわたしがアーカムから来たことを聞くと、道中大変だったでしょうとねぎらってくれた。わたしたちは執事の持ってきたビールで喉を潤《うるお》した。ラベルにはあの鯱のような魚のマークが印刷してあった。自分の経営するビール会社でつくったものだとラドクリフは言った。

ラドクリフはわたしから、ナサニエルが熱帯病にやられてからの最期の様子を聞き出し、ひとつずつうなずいた。

「ちょっと失礼」

と言ってラドクリフは部屋を出ていった。

しばらくわたしはひとりになった。ビールの酔いが心地よく回って、さきほどまで町中で受けた不快な気分は遠ざかった。

空気の動きを感じて振り返ると、娘が立っていた。白いシャツにジーンズ。まばゆいばかりの金髪がほっそりとした肩に流れた。

「ナサニエルの妹エリザベスです」

エリザベスは典型的なヤンキー娘に見えた。だが明るくはあったものの、どこか気品が感じられる。しばらくするうちに、これは貴族の娘ではないかと印象が変わってきた。

わたしは仕事がら欧米各国の港町を渡り歩いてきたが、これほどの美人に出会ったのは初めてだった。正直いって一目でのぼせあがってしまったのだ。わたしはもう一度ナサニエルの死亡時の様子を話してから、エリザベスによろしく言ってくれという友の最期の言葉を告げた。

エリザベスの目が潤《うる》んだ。涙が透明な清水のように湧き出して、頬を伝った。

わたしは感動して「本当にお兄さんを愛していらしたのですね」と言わずもがなのことを言った。これがいけなかった。エリザベスは泣きくずれてしまったのだ、それも、このわたしの胸に顔をうずめて……。

さすがにわたしも、この娘の様子にはくらくらときた。思わずその肩を抱いて引き寄せてしまったのだ。

エリザベスもわたしの腕にしがみついて離れようとはしない。もしも、戸口で咳払《せきばら》いがしなかったら、唇を合わせるくらいはいってしまったかも知れない。執事がお食事の支度ができましたから、と呼びに来たのだ。

時刻は午後一時を少し回ったばかりだった。朝、船の重油の臭いのする食堂でオートミルとパンの朝食をとったきりだったから、腹も空いていた。よろこんで御馳走になることにした。

食堂は応接間の反対側にあるゴシック風の部屋だった。

大きな楕円形のテーブルに十数人の客たちがいたのには驚いた。全員タキシードのようなきちんとした衣装を着ている。窓にはカーテンが掛かっていたが、不思議なことに室内は暑くはなかった。

わたしはラドクリフとエリザベスの間に挟まるようにして座った。

料理は魚のムニエル（といってもおまえには分からないかな。まあ白身の魚をクリームとバターで調理したものだ）と魚介類のスープ（これはブイヤベースと欧米では呼んでいるが）、それにパンと果物。すべて美味しくとりわけ魚は新鮮だった。何という名とも知れぬ魚の中華料理風あんかけが出たが、その魚はほとんど子豚の丸焼きほどの大きさがあった。

味は良かったが、魚の両眼が大きく飛び出ているのは気味が悪くないこともなかった。

ワインはフランスのボルドーから取り寄せた年代もので、わたしは随分と飲んでしまったように思う。隣にいるエリザベスに酔ったのかも知れない。それでも六時のバスの時間には充分まにあうはずだった。

「わがマーシュ家は代々、金の精錬で財をなし、この町で指導的役割を果たしてきました」

とラドクリフはさほど自慢する様子でもなく説明した。

「ここにいるのはわたしの親戚のものたちばかりです。息子の恩人の顔を一目拝《おが》みたいと、こうして集まったのです。じろじろ見られると不快になるかもしれませんが、どうかお許しください。このインスマスの町は随分寂れているとお思いでしょう。南北戦争の後、天然痘《てんねんとう》に襲われて、町の人口の半数が死にました。それ以来、立ち直ることができず今日まできてしまったのです。金の精錬所も、原石が手に入ることがなくなって、長いこと休業状態です。今では漁業のみで町は生活しているのです」

わたしは気になっていた教団のことを訊いた。

「ダゴン教団のことですね」

ラドクリフは笑みを浮かべた。

「ダゴンという名に心当たりはございませんか」

わたしは旧約聖書で見たことがあると告げた。

「その通り。ダゴンは異教の民ペリシテ人が信仰した海の魔神といわれていました。聖書ではひどい悪役ですが、それは偏見というものです。事実を己の宗教のため強引にねじ曲げてしまっている。ダゴンは一口でいってわれわれの守護神ですよ。海で生活の糧《かて》を得るものはすべてダゴンの庇護《ひご》のもとにあるのです。町の住民のほとんどがその信者といってもいい。事実、信仰のおかげで魚はふんだんに獲《と》れるのです。この町が生きていけるのはダゴン教のおかげなのですよ」

「アレ、あなたのお国のことを聞かせていただけませんこと?」

そう言ったのはエリザベスだった。いつのまにかわたしの腕に手を添えている。わたしの横顔に感じる彼女の美しい瞳が、わたしを有頂天《うちょうてん》にさせた。

わたしは九頭龍川の源流近くにある故郷の辰野村のことを話した。

山の空気の清々《すがすが》しさ、清らかな九頭龍の急流のこと——わたしの頭の中は丸一年も帰っていない故郷への思いでいっぱいになり、わたしが「クズリュー・リヴァー」といった時、ラドクリフの目が光ったこと、他の客たちがざわめいたことに、後になるまで気づかなかった。わたしはエリザベスが注いでくれたワインをひといきに飲み干した。

頭の中がなんだかぼうっとしてきた。痺《しび》れたようになっている。

「海江田さんはお疲れのようだ。エリザベス、部屋へお連れして——」

それに対して、わたしはバスの時間にまにあわないと困る、という意味のことを言ったように思うが、口がもつれて相手に伝わったかどうか分からない。

わたしはエリザベスに手を引かれて階段を上がった。食堂の戸口から男たちが首を突き出しこちらを見ている。

通された部屋の窓にも重いビロードのカーテンが掛かっていた。わたしはベッドにうつぶせに倒れこんだ。耳元に甘い息が吐きかけられた。金髪が顔の前に流れ落ちてくる。

わたしがあおむけになると、そこにエリザベスの唇があった。驚いたことに、彼女はいつのまに脱いだものか、一糸まとわぬ裸身《らしん》だったのだ。

エリザベスは「動かないで」と囁いた。その白い、独立した生き物のような指先が、わたしのシャツの胸ボタンを外してゆく。その手を掴んでわたしはエリザベスを引き寄せた。どうにもならない欲情がわたしを支配していた。

わたしは無我夢中で彼女のしなやかな肉体を抱いた。夏だというのに、彼女の身体はほどよく冷えて、さらさらしていた。それでいてしっとりとわたしの肌に隙間《すきま》なく吸いついてくる。まことに心地よい。エリザベスも情熱的に応《こた》えた。抱き合っているうちに、わたしたちは汗でびっしょりになった。彼女の汗なのかわたしの汗なのか分からない。

わたしは快楽の中で「きみといつまでもこうしていたい」と言ったような気がする。

それに対して彼女は「本当？」と聞き返した。

「もちろんだ。ぼくはきみなしでは生きていけない」

「願いは叶うわ。永遠に――」

その先は吐息《といき》と喘《あえ》ぎに紛《まぎ》れて聞こえない。いつ果てるとも知れない欲望の波に、わたしは翻弄《ほんろう》された――。

こつこつという小さな音で目を覚ました。エリザベスの姿はなかった。窓を叩く音だ。わたしは裸身なのでシーツを腰に巻きつけたままの姿でよろけて行き、カーテンを開けた。

ガラスを隔てた向こうに男の顔がはりついていた。長い指を汚れた窓に当ててコツコツやっている。

恐ろしく長く大きな顔だ。額が広く、目はブルー。鼻は高く、がっしりした顎はしゃくれたように幾分前に突き出ていた。シャツの上に革のベストを着けている。場違いなことに濃紺《のうこん》のネクタイまで締めている。インスマスの人間でないことは一目瞭然《いちもくりょうぜん》だったが、状況が状況だけに、これはこれで充分に恐るべき容貌だった。

しきりに「窓を開けろ」と手ぶりと口の動きで示している。ここは二階である。男の背後には枯れ草の海が広がっていた。その向こう、崩れた煉瓦塀《れんがべい》の向こうに教会の鐘が見えている。

わたしは窓を開けた。男がバルコニーから転がり込んできた。同時に口に指を当て、戸口に目をやった。

「はやく、逃げろ」

と長身の若者は押し殺した声で言った。わたしがわけが分からないという表情をしていると、相手はわたしの腕を両手で強く握り、揺すり上げた。

「あなたはどなたなのです」

わたしは身支度を調《ととの》えながら、かろうじて訊《たず》ねた。

「ぼくの名はハワード。この町の史跡を調査に来て、おぞましい秘密を知ってしまった。きみがバスから降りるのを見て、この町のものではないと知った。この町は呪われている。この町の住人にされないうちに、早く逃げるのだ」

「わけが分かりませんよ、そんな――」

わたしはすっかり動転してしまっていた。第一、このハワードと名乗る青年、他人の家に忍び込むなど泥棒と同じではないか。わたしはこのことをエリザベスに知らせなければと思った。

それにしても先ほどまでの彼女の痴態《ちたい》は凄かった。思い出すとまた身体が熱くなってくる。もう彼女とは離れられないとまで思いつめた。

「ぼくと一緒に逃げろ。そうでないときみはこの町の住民にされてしまう」

「いいんだ」

と熱に浮かされていたわたしは言い切った。「ぼくはエリザベスとここで暮らすのだから」

「ばかな」

男は苛立《いらだ》たしげに、わたしの手を引いて窓へ向かおうとした。

「いやだ！」

その時、教会の鐘が鳴り渡った。

「あの鐘が、いくら惚《ほう》けたきみの耳にも聞こえるだろう。結婚式の鐘だよ」

「結婚式って、誰の」

「決まってるだろう。きみとあの娘だ」

わたしは茫然《ぼうぜん》となった。あのエリザベスと結婚できる。あの情熱の中で交わした会話は真実だったのだ。

それにしても早すぎるとは思ったが、決して嫌ではなかった。

そのとき、階段を上がってくる足音が聞こえた。それもひとりではない。

「もう手遅れだ」

男は悲痛な声を残して窓から消えた。

ドアが開いて執事が入ってきた。わたしは彼の用意してきたタキシードを着せられ、教会へ連れて行かれた。

わたしは当然のようにそれに従った。

教会の大きく開いた扉の内側には黒い衣装の男や女が集まっていて、わたしが執事に腕を取られて歩み入ると両側にしりぞいた。

石の列柱が両側に連なり、正面に白く美しい女神の像があった。像の左右に白い衣装の合唱隊が居並んで、どこかお経を思わせる低い声で歌っていた。波の打ち寄せるのに似て、強く、弱く、また強く、振幅《しんぷく》をもった歌声だった。祭壇のわきからラドクリフに腕を借りたウェディングドレスのエリザベスが入ってきた。

「たのんだよ、アレ」

ラドクリフがわたしの耳もとで囁き、エリザベスをわたしに引き渡した。わたしとエリザベスが祭壇の前に進み出ると、黒い僧服の司祭が待ちかまえていた。

司祭はアメリカの極右《きょくう》秘密結社のそれのような頭が尖った長いガウンを着けていた。顔は目だけを残して被《おお》われている。

わたしは不思議な気分になった。司祭がなぜ顔を被っているのかということよりも、この男にはどこかで会ったような気がしたのだ。むろん、そんなはずはない。

合唱の声が高まり、司祭は両手を高く上げた。その手に大きく反《そ》りをうった短剣がこれみよがしに握られている——。客たちがどよめいた。笑い声が聞こえたような気がしたが、錯覚かも知れない。

黒衣の僧がふたり、白い羊の首縄を掴んで引き出した。羊は嫌がって四肢《しし》を踏んばるが無駄である。いつのまに着替えたものか、黒衣のラドクリフが白い陶磁《とうじ》の器を両手で持ってわきから進み出た。羊の血を取ろうというのだ。生け贄である。

羊は四肢を一本の紐で括《くく》られ、祭壇の上に横たえられた。エリザベスの顔を見た。まるで動じた色はない。

その目はうっとりとわたしを見上げた。わたしはといえば、羊の喉が今にも裂かれて、血を壷か何かに取るのかなと、動ずるでもなく感じていた。羊が苦しそうに首を左右にしている。

司祭の短剣が振りかぶられた。そのとき、羊の喉から絞りだされた声をわたしは一生忘れることはできないだろう。

「助けて、助けて……」

たしかにそう聞こえたのである。つぎの瞬間、三日月が弧を描き、羊の首がスパッと中空に飛んだ。羊の首は飛ぶうちに人間の首となり、その後を追った血飛沫《ちしぶき》とともに、窓ガラスにぶつかった。その途端に窓全体が赤く染まった。血のためかと思ったが違っていた。

司祭は愕然《がくぜん》と立ちすくんだ。

窓が燃えている――。

教会の縦長の窓は不思議な魚介類の絵柄のステンドグラスになっている。それが今、背後の明かりを受けて、本当に泳ぎだそうとしているように見えた。真紅の海。海が燃えているのだ。

窓の一枚に外から何かが投じられ、ステンドグラスがゆっくりと割れ落ちた。

表は火の海だった。枯れ草の山が燃えているのだ。

エリザベスが両手で顔を覆《おお》った。

わたしはこの混乱した状態にあっても彼女をかばおうと肩に手を回した。

「ここを出よう」

わたしはエリザベスの肩を抱いて出口に向かおうとした。

だが彼女は動こうとしない。

「エリザベス」

わたしは彼女の顎に手をかけて顔を起こそうとした。手先に触れたのは、あのなめらかな皮膚ではなく、固くでこぼこした――まるで蛇の皮膚《の》のような――。

わたしはあわてて彼女を押し退けた。

エリザベスの背は曲がり、その顔は厚い唇、ひしゃげた鼻、額は後退し金髪は白髪と変じていた。顔の皮膚は蛇のようだ。ウェディングドレスだけが純白のままなのが異様だった。

わたしはエリザベスを突き飛ばした。手に痛みが走った。エリザベスの爪は先端の曲がった鷹のそれのように変じている。

ラドクリフもまた、鼻がひしゃげ、目のとびだしたインスマス面に変わっていた。それどころか、集まった人々のすべてが猫背になり、不意の炎にあわてふためいたのである。

戸口にひとりの男が、松明《たいまつ》を左手に右手に拳銃をかまえて立ちはだかった。

あの顔の長い、ハワードと名乗った青年である。拳銃を司祭に向けた。発砲。司祭の手から短剣が飛び、司祭は手首を押さえて一瞬たじろいだ。

ハワードはわたしに、こっちへ来るようにと左手を振った。わたしは彼に向かって走った。客たちはうろたえた。かろうじて遮ろうとした男に向かって、ハワードは松明を投げつけた。

火が男の衣服に燃え移った。火達磨《ひだるま》となった男は転げ回り、たちまち教会の中は混乱状態に陥《おちい》った。

ハワードはわたしが外に出ると同時に扉を閉め、残った松明を閂《かんぬき》がわりに挟みこんだ。

4

千坪ほどもある庭を埋めつくした枯れ草が一度に燃え上がるさまは、まるで火の山だった。その向こうに精錬所の建物が恐竜の骨格のように浮き上がっている。

火の爆《は》ぜる音はさながら死界《しかい》から蘇った恐竜の吠え声だった。火を消そうとするインスマスの人々の影絵が無数に走り回っている。

「こっちだ」

わたしはハワードに導かれるまま、町を脱出するため山の手に向かった。わたしの頭の中には四つ角で見た町並みが展開した。同じものがハワードにも見えているのだろうか。いや、ハワードのそれはわたしの記憶よりももっと鮮明で詳しいものだった。

追手は教会の方角から迫ったが、火事に驚いて山の手のインスマス人たちも前方から坂道を走り下ってくる。土地勘のあるハワードはそのたびに路地から路地へと巧みに逃れた。

ハワードの言葉では、町の滝の近くに鉄道の廃線があって、そこなら追手も気づくまいということだった。しかし、滝の音が聞こえるようになり、高台に松明の火が先回りして登ってゆくのを見たとき、計画の変更を余儀《よぎ》なくされた。

四つ角には弱々しい街灯があって、その下を悪鬼のような猫背の人々が松明を手に右往左往している。わたしたちに残された道は港へ通じる路地だけだった。港にも松明の火は灯《とも》っていたが、その数は山の手よりも少ない。わたしが港へ行こうと言うと、ハワードは血相を変えて反対した。

「海はやつらの根城《ねじろ》なのだから。そんなところに向かったら火の中に飛びこむ夏虫のようなものだ」

わたしは「だからこそ敵の裏をかくのだ」と強弁《きょうべん》した。

そうこうするうちに敵の包囲が狭《せば》まってくる。議論している場合ではなかった。われわれは路地づたいに港へ近づいていった。

埠頭《ふとう》は倉庫街である。魚の腐った臭気は耐えがたいばかりだ。港には防波堤があり、その内側は泥の海だった。一瞬わたしは故郷の田圃《たんぼ》を思い出したほどである。

堤防の向こうには真っ暗な、タールを思わせる夜の海があった。

風が出てきた。堤防の端にある壊れかけた桟橋《さんばし》に、もやっているボートが見えた。われわれが桟橋を歩きだした時、月が顔を出し、われわれの姿は埠頭にやってきた追手たちの前に照らし出されることになった。見つかった。

われわれは死にものぐるいで走った。

追手の松明が迫ってくる。ボートに飛び乗り、もやい綱《づな》を解《と》いたときには、相手はすぐ十メートルほどに迫っていた。わたしがオールを漕《こ》いだ。中には海に飛びこんで追い迫るものがある。

われわれのボートは桟橋を離れてゆく。船縁《ふなべり》に掴まって顔を出すものがあった。彼らの手には蛙の肌のような模様がついている。その顔は目が飛び出したそれまでのインスマス面と同じだったが、違うことは耳が広がったり、狭まったりしていることだ。

それが鰓《えら》であることに気づいて、わたしは慄然《りつぜん》とした。

ハワードがわたしからオールを取り上げ、一撃でそいつの頭を割った。どしゃっという鈍い音がして、生臭い空気が一瞬海の上を流れた。ずるずると敵は波間に沈んでいった。

追っ手は次々と海に飛び込んで、その頭がさながらアザラシかオットセイの群れのように漂っている。

ボートはそれでも遠ざかってゆく。インスマスの町並みが炎上しているように見えた。

「だめだ、そっちへ行っては」

ハワードが叫んだ。「あれは『悪魔の暗礁《デビルズ・リーフ》』だ。近寄ると危険だ」

なるほど、その名が嘘でないような黒々とした岩礁《がんしょう》が月あかりに姿を現わしている。

深く聞きかえすゆとりはない。わたしは暗礁《あんしょう》を避け、陸地に沿ってインスマスを離れようと企てた。あの岬を越せば隣町である。そうなればもはやインスマスの魔物も手を伸ばすことはできないだろう。

ふいにわたしは呼ぶ声を聞いた。

舳先《へさき》に上半身を露わにしがみつくものがいた。乳房が月光を受け白磁《はくじ》のように美しく輝いている。それなのに乳房以外の肌は蛙のようにぬれぬれとした緑色だった。白髪がべっとりと肌にからみついている。

わたしに向かって片手を伸ばし口をぱくぱく動かした。

〝女〟は舟に這い上がってきた。全身が緑色だった。その怪奇さにもかかわらず肢体《したい》の見事さにわたしはふるいつきたくなるような欲望を覚えた。かつてわたしが抱いた――エリザベスがそこにいたのである。

〝女〟の魚のような口から呻《うめ》きが漏れた。鰓がぷくぷくと動いた。

「アレー、アレー!」

そのときのわたしの気持ちをどう表現したらよいのだろう。身体は麻痺したように動かない。欲望のため慄《ふる》えがきている。もしもハワードが声をかけてくれなかったら、わたしは彼女の胸に顔を埋めてしまったかもしれない。〝女〟の口に牙が剥き出しになっているのを知りながら……。

〝女〟は、わたしのオールの一撃を頭に受け、水の中に転落していった。

水面に、いつのまに追いついていたのだろう、無数の顔が浮かんでいた。その口が動き、ヒロヒロッ　ヒロヒロッと鳴き声が漏れた。海面いっぱいに広がっている。

その向こうに『悪魔の暗礁《デビルズ・リーフ》』があった。暗礁のそこここに火が灯っている。まるで祭りをやっているように蠢くものたちが見えた。次から次へと海へ降りてくる。降りて、そのまま泳いで来るもの、ボートを漕ぎだして来るもの。いずれも私たちに向かって来るのは確かだった。

水面の魚妖《ぎょよう》たちが舟を取り囲んだ。わたしとハワードはオールを一本ずつ持って敵の攻撃に備えた。

「おしまいだな」

とハワードは溜息《ためいき》をついて拳銃を取り出した。

「弾丸は二発入っている。やつらに捕まったら死よりも恐ろしい運命が待っている。ぼくが先にきみを撃とうか、それともきみがぼくを撃ってくれるか」

わたしはわたしを先に撃ってくれとハワードに頼んだ。

ハワードの拳銃が上がった。銃口はわたしのこめかみを狙っている。そのとき舟がぐらりと揺れ、拳銃が海中に落ちた。ハワードは英語で罵りの言葉を放つと、オールを取り直した。わたしもオールを振るった。

もう死にものぐるいだった。攀《よ》じ登ってくる怪物たちを片端から殴り倒した。たちまち舟底は彼らの死体から吹き出る緑色のねばねばした液体で一杯になった。

それでも次から次へとやつらは上がってくる。われわれはへとへとになり、粘液の中に仰向《あおむ》けに倒れた。もはやどうにでもしろという気分になった。今にも怪物たちの醜い顔が覗《のぞ》き込むだろう。わたしは覚悟して目を閉じた。ハワードも呻いていた。

もしかするとわれわれは一瞬、気が遠くなっていたのかもしれない。はじめに感じたのは空気が冷たくなったことだった。ヒロヒロッという音も聞こえない。身を起こす。

友の声を聞いたように思った。死んだ友の声だ。わたしは起き上がった。

海面に怪物たちの姿はなかった。かわりに、五十メートルほど離れた海面にひとつの顔が浮かんでいた。逆光なので顔は見えなかったが、それが――死んだはずのナサニエル・マーシュであることは間違いなかった。

「ア・レ――す・ま・な・か・っ・た・な」

かなりの距離があるにもかかわらず、わたしには彼の声が聞こえた。声というより、頭の中に直《じか》に語りかけてくるものだった。

「ぼくはインスマスの一族だ。われわれは一定の年齢になると水の中でなければ生活できなくなる。同時に顔かたちも変わってしまうのだ。それがぼくたちの宿命だ。ぼくは病気で死んで水に還《かえ》った。ぼくは、きみがぼくの愛する妹と一緒になってくれたらと大それた望みを抱いて、きみをインスマスの町に送り込んだ。だがそれは間違っていた。友のわがままを許してほしい。本当にすまなかった」

わたしは「ナサニエル」と叫ぼうとしたが声にならなかった。

「さようなら、アレ、もう決してインスマスに近づいてはならない」

頭は海中に没した。その時はっきり気づいた。あの司祭もまたナサニエル・マーシュであったことに。

5

舟は夜明けにアーカムの港に着いた。ハワードは町外れに宿を取っているという。わたしたちは午後三時に、ミスカトニック大学の付属図書館の前で会う約束をして別れた。

わたしは貨物船ローズマリー号に直行した。船員のほとんどが上陸してしまっている。船長のブロデリック・ピーターセンだけは船長室にいて、わたしを迎えてくれた。

わたしがインスマスで何があったか話そうとすると、船長はそれを手を上げて遮った。

「ふん。インスマスで何があったかなど知りたくはない。とにかく、おまえが無事で帰ってくれただけでいいのだ。明日、出港する。あの町のことはすべて忘れるのだ」

わたしは船長がインスマスのことを前から知っていたと直観した。人の口を封じるほどの忌《い》まわしい記憶なのだ。

ミスカトニック大学は一七九七年創立のアーカム市が誇る総合大学だった。

蔦の絡んだ煉瓦ばりのゴシック建築が連なり、構内は夏の盛りということもあって森の中に埋もれるほどだった。尖塔だけが目映《まばゆ》い夏空に飛び出して見えた。とりわけ古めかしいゴシック建築は大学付属博物館だ。

その奥、プラタナスの並木の正面に、白いドーリア式の列柱が備わった白亜《はくあ》の建物があった。破風《はふ》の部分には『ミスカトニック大学付属図書館』と大学の紋章とともに彫り込まれていた。磨き上げられた階段を学生たちが上がってゆく。

その前のベンチから立ち上がったのはハワードだった。わたしを見つけて右手を軽く挙げてみせた。あのずぶ濡れでどぶ鼠《ねずみ》のように汚れていた長身の男は、今では真っ白のシャツにベージュの麻のスーツ、ぴかぴかに磨き上げられたアイボリーの靴、という知性と教養に満ちたアメリカ紳士に変身していた。髪はぴっしりと撫《な》で上げられている。秀でた額の下で大きな瞳が嬉しそうに光った。昨夜の冒険がわたしとハワードを深く結びつけたのである。

わたしが「ミスター……」と呼びかけると、彼は「ただ、ハワードと呼んでくれたまえ」と片目をつぶってみせた。

わたしが隣に座ると、その目はもう笑ってはいなかった。わたしが明日出発すると知ると、こちらの質問を待たず、インスマスの怪異のことを話し始めた。

「アレ、きみとぼくは昨夜酷《ひど》い地獄を経験した。だから、これからぼくがどんなに怪奇な話をしようと信じてもらえると思う。いいや、かならず信じてもらわなければならないのだ。きみにはそれだけの責任があるのだから」

最後の言葉は気になったが、聞き返すことは差し控え、わたしは耳を傾けた。

「インスマスの町は南北戦争の直後までは、なんらおかしなところのない健全な港町だった。南洋のある島で遠洋漁業に従事していたオーベッド・マーシュが町にやってきて、一族が繁栄するようになると、町の様相は次第に変わってきた。

オーベッド・マーシュは南のある島で海の魔物と取引をしている原住民たちと交易した。彼らは漁場を知っていて、いくらでも魚をマーシュたちに提供することができた。そればかりか南洋の島の禁断の岩山から金の原石まで掘り出すことができたのだ。

そのために原住民たちは多くの人命を生け贄に捧げてきたのだが、それに気づいても、マーシュは何の痛《つう》痒《よう》も感じなかった。それどころか、何年か経った後、突然マーシュは直《じか》に魔物と取引することを思いついた。

そのためにどんな犠牲を払ったのかは想像する以外にない。言えることは、彼所有の貨物船が島のそばで突然発生した大渦に巻き込まれ沈没したことだ。

かろうじて生き残ったのはオーベッド・マーシュと彼の忠実な部下数名だけだった。他の乗組員はすべて渦に飲み込まれてしまった。多くの船員たちが海の魔物に生け贄として捧げられたのだ。

マーシュはひとりの原住民の女を連れて故郷のインスマスに戻ってきた。

部下たちも女を伴っていた。その女というのが、どれも額がなく目の大きく飛び出た魚のような顔をしていたという。現在、インスマス面とひそかに言われている、あの魚妖顔《ぎょよう》のことだ。

オーベッド・マーシュは港近くに居を構えた。どこで儲《もう》けたのか、三百トンほどの船を買い漁業を始めた。

これが当たった。どんな不漁の季節でも彼の持ち船だけは大漁だった。彼は漁業で儲け、身代《しんだい》を築き上げた。おまけに南洋の島から金の原石を仕入れてきて、金の精錬も始めたから、マーシュ一家はすっかり町の主となってしまった。

かてて加えてマーシュはダゴン教を創設した。海の神、大漁の恩人としてダゴンを祭り上げたのだ。

そのうち、インスマスでは夜中に暗礁で魔物の宴《うたげ》が開かれるという噂が広がった。噂を広げたのは、マーシュたちの羽振《はぶ》りを快く思っていなかった以前からの町の住人たちだった。町に天然痘が流行《はや》ったのは、その直後のことである。この病気で半数にのぼる住民が死んだのは前にも言った通りだ。ところがこの病気を逃れたもののほとんどがダゴン教の信者だったのだ」

わたしの頭の中には死んだ筈の友人ナサニエル・マーシュのことが引っかかっていた。それをハワードは察したらしく話し続けた。

「オーベッド・マーシュは仲間とともに女を連れていた。その後のマーシュ一族はその血を引いていることになる。彼ら彼女らは、不死身なのだ。死ぬときは怪我か病気かしかない。老いて死ぬことはないのだ。耳に鰓《は》が生え水中で生活することができる。しかし、その代償は大きなものだ。若いうちはなんら並の人間と違わないのだが、ある程度の年齢に達すると容貌が変わってくる。きみも見ただろう、恐ろしいインスマス面になる。背中も足も曲がり、ちょうど蛙のような動きをするようになる」

「では、彼らの先祖は――」

「そうだ。呪われた魔物の血を受けたものたちなのだ。聖書は正しかった。異教のペリシテ人が生け贄を捧げて信仰した深海の魔物ダゴンは実在するのだ。きみの友達ナサニエル・マーシュは典型的なインスマス人だった。彼は自分の容貌が変化するのに気づき、病死ということにして海に還った。親しいきみに妹を結びつけようとして、きみをインスマスの町に送り込んだというわけだ」

「では、その魔物……ダゴンは海底や水底にいて地上侵略を企てているというわけなのか」

「その通り。だがインスマス人はダゴンではない。その手先といってもいいだろう。さらに恐ろしいのはダゴンの上に、より強大な邪神が存在するということだ」

ハワードは胸ポケットから小型の手帳を取り出すと、走り書きしてわたしに示した。

「C、T、H、U、L、H、U――いったい何のことだい」

「強大なる邪神の呼び名だ。ただし、何と発音していいかは誰にも分からない。なぜなら、それは本来、人間が発しうる言語ではないからだ。チュールルーとも、クトゥールルーとも、聞きようによってはク・リトル・リトルとも聞こえる」

「その……CTHULHUのことを聞かせてくれ」

「アレ、きみは船員だ。世界中を回っているだろう。イースター島のモアイ像やスコットランドのドルメンといわれる巨石の台を知っているか」

わたしは知っていると答えた。

「モアイは何だと思う」

「大昔に栄えた文明の名残じゃないかな」
「その通り。昔、太平洋には大陸があって文明が栄えていた。スコットランドのドルメンは巨人に生け贄を捧げた祭壇だろうとぼくは思っている。そんなわけの分からない遺跡が実はこの地球上に数かぎりなくある。ユカタン半島のアステカの遺跡にしても、生け贄の儀式は堂々と神の栄光のもとに行われていたし、その神ケツァルコアトルは海から来て海に還っていったのだ。十九世紀にオーベッド・マーシュが立ち寄った南海の島も、そんな異教の祭祀《さいし》が残った地点だった。

ＣＴＨＵＬＨＵをはじめとする邪神族は、まだ人類がこの世に誕生する以前、到るところで火山が噴煙を上げ黒雲が空を覆った、暗黒の地球に外《がい》宇宙から飛来した超生命体だ。彼らの生存原理は弱肉強食。己と己の眷属《けんぞく》以外には常に激しい憎悪をたぎらせ、他の存在を滅ぼすことに残虐と邪悪のすべてを尽くした悪魔だった。もともと地球は彼らの天下だったのだ。

ところが地表が静まり太陽の光が降り注ぐとともに、闇の種族である彼らは地底や海底の遙《はる》かな深みへと追いやられてしまった。あるいはそれは、太陽のエネルギーによって呼び覚まされた、地球本来の霊性のなせる業《わざ》だったのかも知れない。それこそが、ぼくたち人類の呼ぶ〝神〟の起源なのかも知れないと、ぼくはときどき思うことがある。

ともあれＣＴＨＵＬＨＵとその眷属たちは、太陽と母なる地球の力によって深海の底深く封じ込められたものの、決して滅び去ったわけではない。それどころか、ひそかに地上の到るところで、彼らに魂を捧げるものたちを操っては復活の機会を虎視眈々《こしたんたん》と狙っているのだ。人間と魚族を混血させたインスマス人もその侵略の例のひとつにすぎない。おまけに機械文明の急激な発達によって、大都市の工場の煙突からひっきりなしに吐き出される煤煙《ばいえん》は、地球の大気を汚し、太陽の光を弱めている。彼らが復活する素地《そじ》は刻一刻と出来つつあるのだ」

「待ってくれ」

わたしは疑問に思っていたことを口にした。それに話の内容があまりにもおぞましく、正直いって頭の中が混乱してしまった。考える余裕が欲しかったのだ。

「ハワード、きみはそんな突拍子《とっぴょうし》もない考えをどこで抱くようになったのだ」

「もっともな質問だ。CTHULHUやダゴンの恐怖を言い出したのは、なにもぼくが最初ではない。そのことを証明しようと、わざわざ、きみとの待ち合わせにこのミスカトニック大学構内を選んだのだ」

ハワードは立ち上がった。

「来たまえ、きみに見せるものがある」

彼は先に立って付属図書館の広い石段を上がり出した。わたしもあわてて後に続いた。

高い天井から何本もパイプが下がり、そのひとつひとつに丸い電灯がついている。落ち着いた雰囲気のカウンターにハワードが近づくと、司書らしい初老の婦人が眼鏡の奥の目を和らげて立ち上がった。顔なじみなのだ。ハワードが周囲をはばかるように小声で何か言うと、婦人はいったん奥の部屋に下がり、頭の秀《は》げ上がった男と現われた。館長だろう。ハワードはわたしを遠い東洋の国から来た考古学者だと紹介し、例の古文書を見せて欲しいと男に告げた。館長はちょっと渋っていたが、諦《あきら》めたようにうなずいて、わたしたちを奥の個室へいざなった。

しばらく間があって、館長が両手で油紙《ゆし》の包みを抱えて戻ってきた。それを机の上に置くと、どうぞという仕種《しぐさ》をして引き下がった。

ハワードが包みの紐をほどくと、中から黴《かび》と防虫剤の臭いとともに古文書が現われた。もとは赤色だったのだろうが茶色に変色した羊の革の表紙である。表題の文字は金で打刻《だこく》されていて、いまだに鮮やかな光を放っていた。ただし、わたしに読める文字ではなかった。

「これはラテン語だ。『ネクロノミコン』と書かれている。十七世紀にスペインで印刷されたものだ」

ハワードは本を丁寧にめくってみせた。中にはまるで写経《しゃきょう》を思わせるようにきっちりした文字が呪文のように連なっていた。

「『ネクロノミコン』の本当の名は『アル・アジフ』。アジフとはアラビア語で魔物の吠え声を意味するらしいが、もっとよく調べてみる必要があるとぼくは思っている。書いたのはアブドゥル・アルハザードといって、紀元七百年頃の人物だ。狂詩人という別名の通り、この男にはいろいろと奇怪な伝説が伝えられている。悪い噂の絶えない古代の廃城や魔物が棲《す》むと恐れられる辺境《へんきょう》の地を好んでさまよい歩いていたらしい。名もない砂漠の地底で伝説の円柱都市アイレムに遭遇《そうぐう》し、そこで人類より古い種族の年代記や秘密に接したとも言われている。そうして得た恐るべき見聞の数々を、後年ダマスカスで『アル・アジフ』として著《あらわ》したのだ。その死にざまがまたぞっとするようなものでね。一説によると、白昼、町中で突然、中空から出現した怪物に襲われ、生きたまま内臓だけを貪《むさぼ》り食われたということだ。

『ネクロノミコン』というのは、紀元九五十年に訳されたギリシャ語版のタイトルだ。それ以前もそれ以後も、この書物から得た知識を用いておぞましい悪業を犯すものが絶えなかったため、『ネクロノミコン』は異端の書として何度も焚書《ふんしょ》にされたり、発禁になったりしている。そのためギリシャ語版は行方不明で、わずかに後世のラテン語版が、大英博物館をはじめ、いくつかの図書館に秘蔵されているらしい。その貴重な一冊が、これなんだ。

ぼくはこの図書館でアーカムの歴史を研究していたときに、この本を知った。なんとおぞましい、しかし魅惑《みわく》的な書物なのか。この図書館には他にも魔道書の類《たぐい》がたくさん収蔵されているし、隣の博物館には古代の謎の遺物が無数に、未整理のものも含めて集められている。ぼくはそれらの資料を研究し、ＣＴＨＵＬＨＵやダゴンやその他の魔物たちの存在を実感するようになったのだ」

わたしはしばらく茫然《ぼうぜん》として立ちすくんだ。それから不意にハワードが話の始めに言ったことを思い出して、その言葉の意味を問いただした。ハワードは、この魔物に関して、わたしに責任があると言ったのだ。

「確かに言ったよ」

とハワードは慎重な手つきで『ネクロノミコン』を蔵《しま》いながら顔を上げた。

「ぼくが今までに調べたところでは、邪神たちの暗躍《あんやく》を裏付ける記録はヨーロッパ、アメリカ、アラスカ、南太平洋と世界各地に及んでいる。中国や日本にも及んでないはずはないのだ。中国はまだ未調査なのだが、日本に関してはぼくなりにCTHULHUの魔の手が伸びている心証《しんしょう》を得た。ラフカディオ・ハーンという作家の書いた魅力的な物語を読んでから、ぼくは東洋の神秘の国日本に伝わる不思議な伝説に興味を持つようになったんだが、不幸なことに、そこには邪神の存在を暗示する痕跡《こんせき》が到るところに見いだされる」

「たとえば」

「龍神伝説がそのひとつさ。日本中に龍神伝説は広がっているんじゃないか」

確かにその通りだった。

わたしは言葉に詰まった。このハワードという男、なんと博学なのだろう。まだ二十歳《はたち》前後だというのに遠い東洋の国の文字まで読めるのだ。おそらく他にも色々な国の文字や言葉に通じているのだろう。わたしはあらためてこの青年に敬服する思いだった。

わたしの故郷福井の九頭龍《くずりゅう》川にも龍の伝説がある。そういえば、わが家の近くにも、かつて川底に沈んだ神社の伝説が伝わっていた。嵐の晩、崖崩《がけくず》れとともに川に沈んだという黒龍神社。あの神社は何のためにあったのか。そのとき、唐突に思い至った。九頭龍川……九つの頭を持つ龍……ク・トゥ・リュウ……CTHULHU！

「まさか――」

わたしは呻いた。このときの感情を他にどう表現したらよかったというのだろう。

「どうした、アレ」

わたしはわたしの思いついたことを話した。ハワードはうなずいた。

「川の上流かい」

「そうだ」

「その黒龍神社は、ずっと昔にも魔物に気づき、これを封じようとした者がいたことの証しではないか。その神社が川底に沈んだことも、魔物と関係があるのかもしれない。きみは帰国したらCTHULHUを封じこめるのに力を尽くさなければならない。きみが天の神から振られた役目は、まさに悪魔がこの世に現われるのを見張る『監視者《センチュリアン》』なのだ」

直後、わたしの覚えているのは、ハワードを嘘つきだと罵《のの》り、図書館をひとり飛び出したことだ。そうでもしなければとても正気は保てなかったのだ。

船に戻ってから、わたしのポケットに名刺が入っているのに気づいた。「ハワード・P・ラヴクラフト」とあり、住所が印刷されていた。

6

インスマスでの出来事は誰に話すこともなかった。わたし自身あれは悪夢だったと思い込みたかったからだ。

しかし、今まで通りの船の仕事が続くにつれ、次第に九頭龍川のことが気になりだした。

それから半年して香港《ホンコン》に停泊していたとき、ウインチのワイヤーに脚を挟まれ、入院を余儀なくされた。幸い脚を切断するのは免れたが、わたしは仕事を休んで、福井の故郷辰野村に戻った。

健康が回復すると、わたしは九頭龍川に潜ってみた。そして窪みに沈んでいた古い神社の建物を発見したのだ。沈んだのは天明の大飢饉《だいききん》の頃だというが、川底の水がそのあたりだけ澱んでいて、異様に冷たかったのだ。そのおかげで朽《く》ちることがなかったらしい。

わたしよりも前に魔物を封じようとした先人《せんじん》がいたのだ。

そのときはまだ父(おまえにとっては祖父)が生きていて、黒龍神社の言い伝えをおぼろに記憶していた。神社を祭っていた行者《ぎょうじゃ》は後に若狭湾《わかさわん》の洞窟で入定《にゅうじょう》したという。

わたしは断片的な言い伝えを確かめるべく、若狭へ向かった。

驚いたことに、行者が入定した洞窟とは、八百比丘尼《はっぴゃくびくに》の伝説で名高い若狭空印寺《くういんじ》の岩屋だった。八百比丘尼とは、人魚の肉を食べたため異常な長命となり、尼の姿で日本各地を回り、最後に若狭小浜《おばま》の岩屋にこもって入定した伝説の女だ。そして黒龍神社の行者は、八百比丘尼の父であったらしい。土地の古老《ころう》は、比丘尼とその父にまつわる哀れな伝説を、わたしに語ってくれた。

比丘尼の父道満《どうまん》は、あるとき若狭の山中で異人と出会い、別世界へ連れていかれた。異人は道満に人魚の肉を与え、これを食えば死ぬことがないと教えた。道満は肉を食べずに家へ持ち帰ったが、それを見つけた娘が知らずに食ってしまう。何年経っても容姿の変わらぬ娘は、村人たちから化物呼ばわりされ、いたたまれずに出奔《しゅっぽん》する。娘の不運の元凶が己の不注意にあると悲嘆した道満は、残った人魚の肉をみずから口にし、比丘尼となった娘の後を追って行者姿で諸国を遍歴《へんれき》したあげく、八百年の後、ついにめぐり会えた娘とともに故郷若狭の岩屋で入定したのだという。彼は行く先々で龍神信仰を熱心に説き、神社を建立《こんりゅう》したとも伝えられる。

異人、別世界、不死を与える人魚の肉、容姿の変わらぬ娘――インスマスで体験したあの忌まわしい出来事との恐るべき相似《そうじ》に、わたしは蒼白《そうはく》となった。

道満の出会った異人が、CTHULHUの眷属《けんぞく》であったとしたら、どうだろう。彼の遍歴が、魔物に魅入られ、その手先となり果てた娘を追ってのものだったとしたら……。道満行者は八百年もの間、娘を人間ならぬものへと変えた邪神への復讐《ふくしゅう》に燃え、日本各地の魔物を封じ続けたのではないのか。

わたしは早速ハワードに、非礼の詫《わ》びとともに、貴兄の言うことが当たっていたらしいと、手紙を書いた。

二ヵ月ほどして返事と包みが届いた。

包みの中には三十センチほどの高さの石像があった。手紙にはこうあった。

『親愛なる同志アレ。きみが決意してくれてとても嬉しい。きみが知らせてくれたドーマンという行者の話にはぼくも励まされた。彼もまた人魚の肉を食ったというが、それはおそらく、彼がCTHULHUの魔物と戦うために、他の魔物の力を利用したことを暗示しているのではないかと思う。ぼくもきみに「人魚の肉」を贈ることにしよう。同封した石像がそれだ。この奇妙な像は、ぼくが以前、ひそかにフィジーを訪れたとき、原住民から入手したものだ。CTHULHUにもっとも激しく敵対するHASTUR（この発音も定かではない。ぼくは単純に「ハスター」と呼ぶことにしているが）の像だ。以下に記す法式に従ってこれを祭っておけば、とりあえず魔物を封じることができるはずだ。……』

手紙の最後にはこう記されていた。

『これで、ぼくがきみに伝えるべきことはすべて記した。いずれぼくは、調査で得た見聞をもとに小説を書いてみようと考えている。それも、読む者を震え上がらせるような恐怖物語を。調査報告とか手記の形をとるよりも、ずっと広範な読者の目にふれるはずだからね。ぼくは作品を通じて、人類を脅かす魔物たちの存在を明るみに出し、警鐘《けいしょう》を鳴らしたいのだ。ほとんどの読者は、ただの風変わりな恐怖物語として読み捨てることだろう。しかし、いつの日か、ぼくが作品に込めたメッセージに人々が気づいてくれるときが来るかもしれない。これもひとつの「戦い」の形だと思う。お互い苦しい戦いになるだろうが、がんばろうじゃないか。……』

わたしは船乗り稼業《かぎょう》からすっぱりと足を洗い、黒龍神社の本殿と拝殿を水中の淵《ふち》から取り出して、その穴を塞《ふさ》ぐように今の位置に据えた。その作業に当たってもらった村の若者数人が水にのまれて戻らなかった。地震が起こったが、本殿に石像を祭るとともにおさまった。地震で岩が水の流れ口を制御したのか、淵の水は減って現在のような地底洞窟ができあがった。洞窟の中には確かに何かが入り込んでいた。石像があるので上がってくることができないでいるのだ。

だがそれだけでは不安なので、神社の『黒龍神社』と書かれた額《がく》を削り、それを燃すことを思いついた。この思いつきはハワードも手紙で褒めてくれた。以後、今日まで二十数年間、この「御神火」は燃え続けている。額はなくなったので、神社のあちこちを燃やし、そのたびに補修を続けてきた。

わたしは宮司として魔物を封じ込めることに、とにかくも成功していたのだ。

この先は語るのが恐ろしい。とりわけ清一、おまえに話すのは心苦しい。胸が張り裂けそうだが、話すより他にない。黙ってあの世に持って行こうと思ったのだが、それではあまりにもひどい。わたしはすでに魔物に魂を売りわたした男だが、死に臨《のぞ》んでこれ以上、人でなしになりたくはない。

おまえの母、静子のことだ。

おまえの母さんはある日、本堂で祈るわたしに食事を持ってきてくれたときに倒れた。心臓が前から弱く、発作を起こしたのだ。

心臓はすでに止まっている。

おりから風の強い日で、吊り橋は揺れ、とても瀕死《ひんし》の病人を抱いて渡れるものではなかった。

私は静子を愛していた。

なんとしても助けてくれと、神に祈った。そのためにはわたしの命を召《め》していただいてもかまわない。

願いは通じた。だが、叶えてくれた相手が違っていた。

ふいに「おまえの女を助けてやろう」という声が、地底からわたしの身体に直接語りかけてきたのだ。

魔物であることはすぐに分かった。

「命まで取ろうとは言わない。そのかわり、おまえが死んだらその身体、貰い受ける、それでよいな」

わたしはうなずく他になかった。静子は意識を取り戻し、危機を切り抜けることが出来た。

静子は大野村の神主の娘だ。そのつてで、わたしは宮司の資格を得たようなものだ。いわばわたしの恩人でもある。だが彼女には魔物のことは一言も話してはいなかった。静子はわたしが九頭龍川の水神を祭っていると単純に信じていた。

静子は自分の命が助かったのは水神さまのおかげだと信じ、わたしの反対にも拘わらず自らも祈祷《きとう》に打ち込むようになった。わたしが用事で出かけているときなどを狙って、本堂で祈りを捧げていた。

半年後、静子は幼いおまえを残したまま急流に身を投げてしまった。村人たちには事故死と言い繕ったが、本当は自ら進んで飛び込んだのだ。

静子は水神に魅入られていたのだ。それに気づかなかったわたしは夫として失格だった。静子は魔物の世界に入ってしまった。静子の命を救いたい一心で、わたしは自分の身体はおろか妻の清浄な魂までむざむざ魔物の手に渡してしまった。道満行者の悲劇を、わたしは知らないうちに繰り返していたのだ。

わたしは打ちのめされ絶望と無気力に陥ったが、やがて邪神に対する憎しみの念が沸き上がってきた。寝食《しんしょく》を忘れて邪神封じの祈祷に熱中した。母を失った上に父にまでほったらかしにされたおまえには本当にすまないことをした。許してほしい。見かねた周囲のものに勧められるまま、夫に先立たれた昌枝と再婚した。

新しい家族を得て、わたしはささやかな平穏を取り戻した。おまえは立派な軍人となり、礼子も美しく成長した。

そんなとき、あのハワードから手紙が来た。

それまでにもハワードは自分の小説の掲載された雑誌類を送ってくれ、わたしも礼状を書いたりしていたのだが、今回の手紙は違っていた。

それは書斎に残しておいたから、おまえの目についているかもしれない。ハワードが自らの死期が近づいたことを告げるものだったのだ。ハワードは自分が死んだ後の魔物の跳梁《ちょうりょう》を心配しているのだ。

彼はこれまでも各地を回り、魔物に敵対する別の魔物たちの手を借りて、今日まできた。たとえばわたしの手に渡された石像などもそのひとつだ。

そんなとき、わたしは心臓の発作で倒れた。

たちまち、魔物はその晩のうちに約束の履行《りこう》を求めて、夢におぞましい姿を現わした。

わたしはまもなく死ぬ。

約束通り、わたしの肉体を彼らに渡さねばならない。

だから、清一、この遺書がおまえに届く頃、わたしの遺体が煙となって消えていてくれたらよいと思う。そして、おまえにくれぐれも伝えておきたい。わたしに替わって御神火と石像を護り、これまで通り魔物を封じ込めることを約束してほしいのだ。

なぜ自分が、などと聞き返さないでくれ。すまないとは思う。だが、その業《ごう》は父の背負ったものと同じものだ。

おまえは大日本帝国の軍人だ。帝国を魔物の侵略から護ってほしいのだ。

さようなら、清一。昌枝と礼子を宜《よろ》しくたのむ。また、おまえと会えるのが輝かしい神の国であることを祈っている。

7

以上で、父阿礼が清一に宛てた遺書は終わっていた――。

その晩は死者が葬儀の席から消えて大騒ぎだった。

阿礼が生き返って、吊り橋を歩いてゆくのを目撃したという者も出てきた。

清一は自分も吊り橋を渡るところなどを見られたのではないかと心配したが、それはなさそうだった。

さすが黒龍神社の宮司だと、早くも奇跡が称《たた》えられはじめた。おそらくこの話は村の伝説として残ることになろう。

生き返った阿礼を探すため、本殿にも御神火以外に火がともり、松明《たいまつ》の火がいくつも動いていたが、清一は、それには関係しようとはせず、父の書斎に入った。

洋書の棚を眺めると、大判の雑誌の列が目に入った。抜いてみると『ウィアード・テイルズ』とある。いずれも表紙は毒々しい極彩色の魔物や裸女、怪奇な城塞《じょうさい》、洞窟などの絵で埋められている。そのうちの一枚に魔物の絵があった。猛々《たけだけ》しいそいつが別の巨大な魔物と戦っている。相手は翼を生やしたマンモスに似ていた。しかし、表面は緑色の鱗に覆われ、目は邪悪な炎のごとく赤く輝いている。場所は空想科学小説の描く火星か金星だろう。背後にかかる巨大な黄色い惑星はどうやら地球らしい。

何冊か抜き出して眺めるうちに気がついた。どの号にも「H・P・ラヴクラフト」の名前がある。ハワードの書いた小説が載った雑誌とはこれなのだ。一九二五年九月号を手に取る。作品名は『テンプル』――『神殿』のことだろう。

肘掛椅子《ひじかけいす》に座り、煙草に火を点けた。

その短篇を読み終えたとき、身体はこわばり、足は冷たくなっていた。

夏とはいえ、山奥の夜は冷える。だが原因はそればかりではなかった。問題は小説の中身だった。

第一次大戦中のドイツUボートが漂流中の若者を殺して象牙の像を奪ったときから船内を狂気が支配する。船員はひとりひとり消えてゆき、しかも浮上できなくなった。

どんどん深みにはまってゆくUボートには、誇り高き艦長カール・ハインリッヒだけが残る。やがて海底に古代の遺跡が見えてくる。神殿にはあの象牙の像と同じ魔物の巨大な像があった。自分を差し招く幻聴と幻視に必死に耐えていたカールも、ついに精神の異常は限界を越え神殿に足を踏み入れる——。

これを書いたハワード・P・ラヴクラフトは精神を病んでいると清一は思った。文中に出てくる象牙の像の描写が、今書斎にある像に似ているように思う。

それから『ウィアード・テイルズ』を机の上に積み上げ、片端からラヴクラフトの小説に読み耽《ふけ》った。

窓から見えていた本殿の方角の松明も見えなくなった。今夜の捜索は諦めたのだ。

夜明けまでに清一はラヴクラフトのいくつかの小説を読んだ。古風な言い回しを多用する癖のある文章は難解で、彼の英語力では細部まで理解できたとはいえなかったが、それでも行間にみなぎる妖気のようなものはひしひしと伝わってきた。

『ダンウィッチ・ホラー』『コール・オヴ・CTHULHU』『ウィスパラー・イン・ダークネス』……いずれも魔界から地上をうかがう妖《あや》しのものたちの物語だ。

そして『アウトサイダー』、これには驚愕《きょうがく》した。蘇った死人が、自分が死人とは思わず人前に現われる——。父の記憶と重なり、ほとんど吐き気を抑えることができなかった。

階段を駆け上がってくる足音に、われに返った。礼子の足音である。

すでに外が明るくなっている。

「お父さまが――」

父の遺体が川で上がったと駐在から報《しら》せが入ったというのだ。

清一は礼子とともに家を飛び出した。庭先に駐在の水島巡査もいて、清一に敬礼した。

「礼子、おまえはここで待っていろ」

「いやよ、わたしも行く」

「だめだ」

と清一は語気を強めた。清一にはこれから眼にする父の遺体がどうなっているのかよく分かっていたのだ。それを礼子に断じて見せることはできなかった。

「おまえは義母《かあ》さんの世話をたのむ」

言い残して、清一は水島巡査とともに、勝彦の運転する車に乗った。

村の朝は冷え冷えとした空気だった。

山の杉木立を霧が渡ってゆく。

太陽は南側の山の端《は》を弱々しく照らして、村の家並みはまだ霧の中にあった。車はその中を抜け、一昨日、清一が渡ってきた鉄橋の袂《たもと》まできて止まった。

鉄の橋桁《はしげた》に人間が引っ掛かっているのが見えた。

流れは速く、青年団の若者たちは、どうして降りたらよいのか迷っている。清一は勝彦に縄を持ってきてもらうと、一端《いったん》を自らの胴に巻きつけ一端を手すりに結びつけた。そうしておいて手すりを越えた。

清一は勝彦の手繰《たぐ》り出す縄の先にぶらさがって次第に降下していった。

橋桁に、遺体はぼろきれのように二つ折になって引っ掛かっていた。一目で父だと分かった。両手がふわふわと水中に漂っている。

清一は遺体の白くふやけた腕に自分の腕を巻きつけた。

父の頭部が回転し顔が見えた。目はぽっかりとふたつの孔《あな》になっている。口は開いており歯が見えたが、舌は切断されたのか捲《まく》れ上がって喉を塞いでいた。

水に洗われ、血は残っていなかった。

抱えて抱き寄せると胴体がふらりと橋桁から離れてきた。手すりで縄を持つ勝彦が移動したので、清一は父の遺体を抱いたまま橋の袂に動いてゆく形になった。

岸辺に着くと清一は遺体を抱いて岩場を攀《よ》じ登った。青年団の若者たちが縄に掴まって降りてきたが、遺体を見てグエッと呻きを上げて飛びすさった。

清一は驚きはしなかった。岩場に横たえられた遺体の腹部には内臓がまったくなくなり、背骨と肋骨《ろっこつ》が露出していたのだった——。

遺体は清一が抱えて川から上がった。用意されたリヤカーで葬儀場に運んでいく。リヤカーは清一自らが引いた。死人の内臓は魚が食い荒らしたものだろうと村人たちは噂しあった。

リヤカーを引きながら、清一はふと誰かの視線を感じて振り返った。

橋の向こう側に、黒いセダンが停まっていた。ガラス窓が閉まっているので中は見えない。この山奥の村に余所者《よそもの》がやってきたのだ。何者だろうか。

その日のうちに海江田阿礼の遺体は火葬に付《ふ》され、山肌の墓地に葬られた。

明日は休暇も終わり、東京に帰らねばならない。だが、その前に、もう一度あの地底洞窟の魔物を確かに封じたことを確認しなければならなかった。

日暮れどき、清一は軍服に身をととのえ、拳銃と軍刀を身につけた。吊り橋を渡って本殿の前に立った。

そのとき、本殿の扉が開き、中で何かが動いているのに気づいた。

「なにものだ」

清一は軍刀の柄《つか》に手をかけ、階段に脚をかけた。扉を引いた——。

男が祭壇に向かって立っていた。黒いコートをまとい、ステッキをついている。あのセダンできた余所者に違いなかった。

男は振り返り、帽子をゆっくりと取った。

「わたしだ、海江田少尉」

「先生！」

清一は息が止まりそうに驚いた。「どうして、ここに」

「夢のお告げがあったのでな、急ぎ飛んできたのだ」

男は、杖をつき、清一を見返した。

清一たち青年将校が「先生」と慕うこの男の名は——北一輝《きたいっき》という。

第三章　邪神撃退法案大綱

1

北一輝は明治十六年（一八八三）生まれの右翼の理論家である。

辛亥《しんがい》革命の際、中国に渡り民族派と結んで活躍した。帰国後の大正四年（一九一五）『日本改造法案大綱《たいこう》』を発表し、クーデターによる国家改造を説いた。

天皇中心にすべての政党が協力して社会改造を成しとげてゆく国家社会主義とでもいうべきものだった。その思想のバックボーンは法華経《ほけきょう》である。この主義主張のもと「猶存社《ゆうそんしゃ》」を主宰し、政財界から資金を集め、門下生を養った。

青年将校たちにも早くから信奉者が多く、憂国《ゆうこく》の志士《しし》たちにカリスマ的な魅力を発揮していた。

海江田清一少尉も上司の安藤大尉に伴われて何度か大久保百人町《ひゃくにんちょう》の北一輝が「高天原《たかまがはら》」と称するところの

自宅を訪ねたことがあった。そこには大きな、北のいう「神仏壇《しんぶつだん》」なるものがあった。中央に額縁に入れられた大礼服姿の明治天皇の肖像画を祭り、左右に『南無妙法蓮華経《なむみょうほうれんげきょう》』と墨書《ぼくしょ》した白木牌《しらきはい》を置いたものだった。

その前で北一輝は起床してから十時頃まで、妻のすず子と向き合って誦経《ずきょう》するのが日課だった。

北一輝は霊感が発達しており、どちらかといえば腺病質なところがあったが、すず子はそれとは正反対にがっしりとした体格の気《き》っ風《ぷ》のいい女だった。北が辛亥革命に加担して中国大陸にいたとき、上海《シャンハイ》で知り合い、息が合って結婚した。当時、すず子は三人の子を産み、女給《じょきゅう》まがいの生活を送っていた。そのすず子に北一輝は日本の「母」を見たと後に述懐《じゅっかい》している。

その間にすず子が神憑《かみがか》りとなり、口走ったことを、北が日記にとどめた。その日記は昭和四年(一九二九)から書き続けられており、清一も見せてもらったことがあった。

大きな大学ノートに一ページに一日か二日分、大きな墨文字《すみもじ》で一言づつ記されている。それは夢をそのまま記したものといってもいいかも知れない。それも歴史上の有名人、たとえば明治天皇・西郷隆盛《さいごうたかもり》・勝海舟《かつかいしゅう》・山岡鉄舟《やまおかてっしゅう》・東郷平八郎《とうごうへいはちろう》らの霊が発した言葉という形で記されている。

そのお告げによって、北一輝はこの福井県の山奥辰野村に来たというのだった——。

「実をいうと、予兆があったのは七年前、昭和四年の夏の終わりのことだ。ぼくは日本橋白木屋《しろきや》に所用があって、その帰りに西田くんの運転で日比谷交差点を通った。そのとき、かしこくも天皇陛下のおわす皇居に黒雲がかかっているのを見た。しかもその雲は龍の形をしておったのだ。もちろん見えたのはぼくだけで、西田くんには見えなかった。妖雲はぼくが見つめているうちに吹き消されてしまった。まだ威力は薄いが、明らかに魔物が帝都を目標にしていることは知れた。家に戻り、ぼくは神仏壇に伺いを立てた。その結果、安倍晴明《あべのせいめい》公が現われ、異変を告げたのだ」

安倍晴明は平安中期、式神《しきがみ》を駆使して未来の異変を予知したといわれる陰陽家《おんみょうか》である。京都堀川《ほりかわ》一条の晴明神社に今でも祭られている超人だった。

「彼は、そのとき、すず子を霊媒《れいばい》として、龍に注意せよ、と告げた。以来、ぼくは歴史上の人物の言葉として現われるお告げを日記に書き留めるようになった。いずれ魔物に動きが出るときが来ると思っていたからだ。そのときが来た。一昨夜ぼくは夢を見た。北陸の蛇行《だこう》した川の上流から黒いものが湧き上がるのを。取るものも取りあえず、こうしてやってきて、今朝ほどきみの御父君の遺体を見せていただいた。どうやら大変なことがあったようだな」

「はい」

清一は一昨夜父が死に、それが蘇ったことを告げた。そして……地底の魔物のこと、外国の友の手紙のことなど一部始終を告げた。

「なるほど、それで合点がゆく」

北は薄い〝ハ〟の字型の口髭を指先でさすり、本殿の中を見回した。

「海江田くん、参ろうか」

北一輝は仕込杖《しこみづえ》の柄に手をかけた。清一は拳銃を抜き、遊挺《ゆうてい》をスライドさせた。ふたりは本殿の中に入った。

昨夜、清一が閉じた床蓋《ゆかぶた》は閉じられたまま、石像もその上に置かれたままになっていた。だが、御神火は消えていた。

北は無造作に像を掴んで取り上げた。

「いけません、それは」

清一はあわてて止めようとしたが遅かった。今にも魔物が蓋を押し上げて、飛び出してくるだろうと、清一は身構えた。しかし、なにごとも起こらない――。

「心配無用。もはや、魔物はいなくなった」

「どうして、それが」

清一は北の顔を見た。

「ぼくには分かる」

北一輝は口髭をうごめかせ、床蓋を開けた。吹き出した悪臭に清一は咳《せ》き込んだが、北は悠然と中を覗き込んだ。

「暗いな」

「ちょっとお待ちください」

清一は部屋の隅にある父の文机《ふづくえ》の引き出しを開けた。懐中電灯を取り出し、トンネルを照らし出した。清一は北の先に立って、暗い洞窟に入り込んだ。

臭気は相変わらず吹き上がってくる。石段はじめじめしていたが、昨夜ほどではなくなっていた。短いトンネルを抜けると、懐中電灯の光芒《こうぼう》が地底の空間に走った。昨夜よりも狭くなったように思える。生えていた地衣《ちい》の類《だぐい》は緑色からちょうど人の髪が白髪になるように灰色に退色して見えた。地鳴りもしない。水面は静まりかえっている。

「敵はすでにここにはいない」

北一輝が清一の背後に立って言った。

「しかし、どこから出たのでしょう」

「きっと水底に穴を開けたのだろう」

海江田は軍服のボタンに手をかけ、外し始めた。

「どうしようというのだ」

「確かめてみます」

清一は北に懐中電灯を渡した。上着を脱ぐと、ブーツを抜き取った。

「上から照らしていてください、お願いします」

「承知した」

2

清一は水の中に入った。いきなり足の裏がぬるりときて、くるぶしのあたりまでぬめりに包まれた。おぞましさが足から身体中に走り上がった。身体が溶けてゆくのではないか。それでも次第に身体を水に浸してゆく。

いきなり、足元がなくなり、身体が水の中に沈んだ。そのまま潜りだした。頭上から懐中電灯の光が僅かに差し入ってくる。

清一はどんどん深みに入り込んでいった。水底は擂鉢《すりばち》型に広がっていて、頭上の岩壁はともかく、一方の水の果ては暗い闇に消えていて、恐らく九頭龍川の川底につながっているのだろうと見られた。

清一は水中の洞窟へと入っていった。懐中電灯の明かりは洞窟の端に弾かれ、中には届かない。

息が苦しくなって、引き返そうとした時、前方にぼんやりと黄色い光が見えた。あるかなしかの弱々しいものである。近づいてゆくと、急に身体が流れに引き込まれそうになった。

今や穴の出口の縁がしっかりと見えた。丸い大きな岩が一方に転がっており、それが崩れてできた穴だというのが分かった。北一輝の言った通り、九頭龍川の水底に通じていて、それで清一は吸い込まれそうになっているのだ。

清一は必死で引き返そうとした。岩に掴まって、流されるのは免れたが、このままでは息がもたない。意識が遠のきかかった。水中にいることの感覚も失いかけていた。このまま水の中にいるのもいいではないか。温かな母の羊水《ようすい》の記憶――。

白い衣装の誰かが、ふわりと前に現われた。

母の静子だった。

「母さん」

白い衣装の女は清一の手を掴んで引いた。

ぐんぐん、岩壁の下を引かれてゆく。

水面から顔が出た。

冷たい空気が肺に流れ込み、咳き込んだ。

「大丈夫か、海江田少尉」

北一輝の切迫した声が岸辺から飛んだ。

「母が――」

と清一は喘《あえ》いだ。

「死んだ母が助けてくれたのです」

北は岸辺から手を差し伸べて、清一を助け上げようとした。それに反して清一は再び水に潜った。北の止める声を背後に聞いたような気がしたが、それは後になって知ったことだった。そのときはもう夢中だったのだ。

清一は母の姿を探し求めた。岩の壁に母の姿を見た。

手が振られた。白い衣装が絡みついている。水流のため、黒髪は一方へ靡《なび》いている。ほっそりとした首筋の上で懐かしい切れ長の母の目が笑っていた。顎のえくぼまで見えたように思う。

おかしなのはその姿勢だった。まるで磔刑《たっけい》のように両手を左右に伸ばし、両足は揃えられ軽く一方に膝を曲げている。

「母さん」

清一が母に手を伸ばした。頬に触れた。母が笑った。その両眼が左右に引かれ、眼球が揺らぎ出た。唇が捲れ上がり歯茎が露わになった。帯がほどけ、腹部も露わになる――。

その下には肋骨だけがあった。

清一は母から離れた。その眼前で母の首がかしいだ。首からもげ、腕が流れ去った。両足も流れた。最後に肋骨の一本一本が外れ、次の瞬間、母は完全に流れ去ったのだった。

その途端、清一は母がそれまで魔物の生け贄となっていたのを知った。彼女は永い苦界《くがい》からようやく解放されたのだった――。

先日、水島巡査が言っていた白衣の女。村人が黒龍神社の本殿前に見かけたという女は――母の静子だったのだ。

静子は魔物出現の危機を告げに現われたのだと、清一は信じた。

「魔物は九頭龍川を出た」

と北一輝は腕組みして、暗い山並に目をやった。

「魔物は帝都に集結しようとしている。だが、今のままではまだ然《さ》したる勢力にはなってはおるまい。その前に信州へ行ってみようと思う」

「信州と申されますと」

「龍神を祭る神社は全国にいくつもあるが、その最大のものは箱根神社と戸隠《とがくし》神社だ。ここからだと戸隠に寄らない手はあるまい。きみは行けるのか」

「休暇が明後日で切れます。明朝には発《た》ちませんと」

「それなら、今夜、わたしとともに発ちたまえ。そうすれば戸隠神社を回ってゆくことができる」

北一輝は有無をいわせない調子で言った。もとより、清一にしても願ってもないことだった。これほどの怪異に遇《あ》いながら、じっとしていられるはずもなかったのだ。

早々に昌枝と礼子に別れを告げ、初七日には戻ると言い残して、清一は、村外れに北一輝が待たせてあった車で、辰野村を後にした。

「誰だか、分かるね」

車が走り出すと、北は運転していた男のいがぐり頭に顎をしゃくって、清一に言った。

「はい。西田税《にしだみつぎ》先生です。先生のお宅でお会いしたことがありますから」

西田税。北一輝とならぶ昭和維新の思想的要《かなめ》をなす人物だった。かつて五・一五事件のさい血盟団員《けつめいだんいん》に撃たれて重傷を負った。この同志を献身的に看病し、祭壇に祈りを捧げたのは北一輝だった。西田税はもと騎兵少尉。陸軍士官学校三十四期のエリートだったが、昭和五年に宮内省怪文書を配付し免官となった。北一輝の傘下で自宅に士林社《しりんしゃ》を主宰し、革新軍人の獲得に奔走《ほんそう》していたのである。西田もまた青年将校たちに大きな影響を与えていた。

車は美濃《みの》街道を抜けてゆく。

「おふたりともお疲れでしょう。少しお休みください」

3

眼が醒《さ》めると白馬連峰《はくばれんぽう》が周囲に広がっていた。

寝ている間に富山を横断したのだ。朝日が山肌に流れる山霧を乳色《ちちいろ》に染めていた。

鬼無里《きなさ》村を通り、戸隠高原に出たのはその日の午後三時頃だった。太陽は戸隠連峰にかかっていたが、日差しはあいかわらず強いままだった。ただし、空気は乾いていて清々《すがすが》しい。これでは魔物の存在など想像もつかない。

だが、それも山を登り始めるまでのことだった。

戸隠連峰は裏山・表山・西岳の集塊岩《しゅうかいがん》の絶壁から成っている。この戸隠高原の背後はなだらかな荒倉山《あらくらやま》連峰である。

戸隠神社は戸隠連山の南麓にある。奥社《おくしゃ》・中社《ちゅうしゃ》・宝光社《ほうこうしゃ》の三つで構成されている。

中社の参道の手前で車を降りた。茶店で食事をとると、西田税が車に残り、北一輝と清一は旅館街を抜けていった。杖をついた参拝客で賑《にぎ》わっている。

中社境内《けいだい》の階段の下で北一輝が立ち止まり、階段の中央の老杉を指差した。

「海江田くん、この三本の杉の由来を知っているかい」

なるほど、階段中央の杉と三角をなす形で階段の両側に老杉があった。

「この姿は人魚の化身なのだ。若狭《わかさ》の国の漁師が人魚を殺し、その肉を三人の子供に食わせたところ、三人とも人魚になってしまった。子供たちは海に入って戻ってこなかった。漁師はその罪を贖《あがな》い人魚と三人の子供の菩提《ぼだい》を弔《とむら》うため、戸隠山にこもって三社に八百日参詣《さんけい》し、ここに杉の木を植えたのだ」

清一は愕然《がくぜん》とした。話の筋立てこそ違え、それは父の遺書に出てきた道満行者《どうまんぎょうじゃ》の伝説とそっくりだった。やはりあれは父とラヴクラフトの抱いた妄想ではなかったのか……。

　階段の上の杉木立の中に中社の古びた建物があった。祭神は八意兼命《やこころおもいかねのみこと》。天照大御神《あまてらすおおみかみ》が岩戸《いわと》に隠れるに際して、岩戸の前で神楽《かぐら》を演じて大神を誘い出す奇策を考え出した知恵の神である。役行者《えんのぎょうじゃ》・学問行者の像が安置されているのが見えた。細い道を下り村落を抜けると、石段の上に宝光社の仏殿式に反りを打った建物の破風《はふ》の部分が見えた。

「ここはまだ異変は起きていない。先を急ごう」

　北一輝は言って足を速めた。それからは約半里の道のりである。

　山道を歩いているうちに風が強まった。太陽は出ていたが、風は冷たさを増した。杉木立の向こうに見える山肌の木立が、陽光の下、風に激しく靡《なび》いている。

　ものの三十分ほど歩いて大きな道に出た。県道である。

　鳥居から参道が県道に向かって直角に延びている。

　参道を行くとすぐに橋を渡った。眼下を清流が岩を食《は》んでいた。

「鳥居川だ」

と北一輝が言って眼を細めた。「戸隠神社の鳥居の前から流れ出るからその名前がついた。末は千曲《ちくま》川に流れ込む美しい川だ」

　北の顔が険しくなった。むっと呻きざま両手で印《いん》を結び、経を唱《とな》えだした。

川面《かわも》を見ていた清一も血相を変えた。

川面を血が流れてゆく。

その量は次第に増し、川全体が赤く染まった——。

「これは！」

赤い川に何かが流れてくる。

鹿の死体だった。内臓が抜かれている。ガラスのような眼が清一を見たように思う。

清一は上流を窺《うかが》った。すると岩陰に鹿の死体が見えた。それも一頭や二頭ではない。二十頭はいるだろうか。その死体が淵の辺りで淀《よど》んでいるのだった。何に食い荒らされたのか、内臓がすべて抜かれているように見えた。

風はますます強まり、ときおり、陽の陰《かげ》りが参道を走った。

「雲が出てきたようだな」

北一輝が言った。

参道の両側はブナの大木の自然林だった。深山幽谷《しんざんゆうこく》の趣《おもむき》が深い。風がブナの大木を揺すり続けた。随身門《ずいしんもん》といわれる山門を潜《くぐ》る頃には、空はすっかり暗くなってしまっていた。鬱蒼《うっそう》とした杉並木が暗さを助長している。

突風が正面から吹きつけ、生臭い空気が渦巻いた。

北が清一に向かってうなずき、先に立った。

杉木立が途切れ、いきなり眼前に見上げるばかりの絶壁が聳《そび》え立った。絶壁の上に黒雲が渦巻いている。

大岩壁の真下に戸隠神社の奥社があった。岩窟の中に潜《もぐ》り込むようになっている。その左、少し下ったところに九頭龍《くずりゅう》神社が見えた。

「この九頭龍神社には毒龍が封じられている。その龍が今、抜け出そうとしている」

北一輝は量を増してくる黒雲を見上げた。

妖雲が渦巻き、雷鳴が轟《とどろ》いた。少し後れて篠《しの》つくような雨が降り出した。

清一と北は雨の中で立ち尽くした。

岩壁が雨に煙っている。

どよめきが岸壁にこだました。雷鳴だろうか。

清一には龍の吼《ほ》え声に聞こえた。

黒雲がまるで水に落とした墨汁《ぼくじゅう》のようにゆっくりと岩壁に向かって降下してきた。

地鳴りがし、九頭龍神社の屋根から何か巨大な影が岩壁にせり上がった。

巨大な蛇のような――。しかし頭部には角《つの》が柘植《つげ》の刺《とげ》のように生えている。龍だ、と清一は思った。

龍が姿を現わしたのか。

龍の頭部には金色の眼が怒りに燃えている。口から白い霧が吐き出されると、黒雲に異変が生じた。突風が起こり、雲が流れ始めた。

雨足《あまあし》は遠のき、太陽の日差しが戻ってきた。龍の影はとうに消えていた。陽光が神社の瓦屋根をまばゆく照らしている。杉の木立は洗われるばかりだ。

「どうやら、魔物は戸隠神社の毒龍を呼び出すのに失敗したようだ。だが、時間の問題だ。やがて戸隠神社の毒龍も天に舞い上がる。そのときが、われわれの正念場《しょうねんば》だ」

北一輝は清一を見た。

「帰ろう、東京へ。魔物との決戦場へ」

西田税は車の中で仮眠をとったと言っていたが、まさに超人だった。夜通し不眠不休で運転を続け、翌日の昼には東京に入ったのである。

別れ際に北一輝は清一に名刺を渡した。

「四十五日したら、ぼくの家を尋ねてくれたまえ」

住所が中野桃園町《ももぞのちょう》になっている。

「大久保の家は引き払ったのだ。九月からぼくはここに転居する。来るときはきみひとりだ」

「分かりました」

4

帰京して海江田清一は麻布の歩兵第三連隊第六中隊に戻った。

非番の日を選び、北一輝の家に電話をしてみたが、留守を守る書生は、先生は箱根においでで当分お帰りにはならないと告げた。では箱根神社の様子を見に行ったのか。

数日後、北から清一宛てに手紙が届いた。

手紙には、箱根神社の霊気を見に、妻を連れていったのだが、妻が突然原因不明の熱病に襲われ、療養に手間取ってしまったと、詫びの言葉とともに事の次第が記されていた。おそらくは魔物の力が襲ったのではないかと思う、だが、もう大丈夫とも書かれていた。ついては来る十月二十八日、朝六時、白髭《しらひげ》神社の境内でお会いできないか。ただし、この件に関しては他言無用。

その日は日曜日で清一は朝五時に起き、駒込千駄木《こまごめせんだぎ》の下宿を出た。

白髭神社へは浅草から吾妻橋《あづまばし》を渡り、墨田公園を遡《さかのぼ》って行った。枝葉の紅葉はまだ始まっていなかったが、朝の空気には早くも冬の匂いがしていた。

白髭神社は隅田川に面して建っている。鳥居から階段を降りた拝殿の前に、インバネスのケープを首に巻き紳士帽姿の北一輝が立っていた。
「もっと早く会いたかったのだが、手紙で書いたような事情だ。許してくれたまえ」
「奥様の具合はもう宜しいのですか」
「ありがとう、もう元気になった。彼女は霊台《れいだい》だ。いかに魔物であろうと、これを倒すことは叶わぬ」
「箱根神社は、いかがだったのですか」
「ぼくが着いたときは嵐だった。芦ノ湖は波立って、まるで海のようだった。箱根神社は湖の岸辺にある小さなものだ。まるで海に漂う方舟《はこぶね》のようだった。湖畔の宿屋で一夜を明かした。ぼくは旅館の外に出てみた。山々の上を黒雲が渡ってゆく。山全体が揺れ動き、それに呼応して獣の吠え声のようなものを聞いた。翌朝、ぼくはまた神社に行ってみた。神社の周囲の樹木が倒れ、社《やしろ》を湖水が洗っていた。

箱根神社には何度も参拝したことがある。その度に何かが棲みなしているのを感じとってきた。その感覚がなくなっていた。ケヤキやクスやカシワの枝葉が落ちて、まるで白骨のようだった。箱根神社の龍神は抜け出したのだ。あの嵐は九頭龍川から飛び出した魔物の仕業に違いあるまい。西田くんが撮った写真だ」

北一輝は懐《ふところ》から紙袋を取り出して清一に差し出した。

「拝見します」

それは手札判《てふだ》の写真数葉だった。

いずれも箱根神社が写っている。屋根瓦が剥げ落ちている。木立には葉がない。倒れている樹もある。そして神社の向こうの芦ノ湖に、あるはずのない浮島がいくつも姿を見せていた。

「ぼくが帰るときには、湖の水嵩《みずかさ》も戻り浮島は水没した。しかし、倒れた樹は立ち直れないし、葉がつくまでには時間がかかるだろう
恐ろしいことだ。今調べさせているが、全国の龍神を祭る神社で異変が起こっているはずだ。魔物が帝都に集結しようとしているのだよ。それが完結する前に敵の息の根を止めねばならない」

「どうやって」

「わが国は神国だ。古来の神々が守ってくれている。だが、それでも、われわれが何もせずに手をこまねいていれば、ついには邪神の餌食《えじき》となってしまう。われらがするべきことは、太陽の神、あまねく地球の生命を育む大神《おおかみ》の力に祈ることだ。大神の輝くところ、魔物は退散するだろう。どうかしたかね」

清一の唖然《あぜん》とした表情を見て、北が訊いた。

「いえ、今先生のおっしゃったこととまったく同じことを、例の父の友人が述べていたものですから」

「ラヴクラフトか。彼とは前に一度――」

と言いかけて、北一輝の顔が強張《こわば》った。

気圧が変わったことは清一にも感じとれた。鼓膜《こまく》がつんとなって、視界が揺らいだ。

川面《かわも》の霧が盛り上がり、何かが湧き出した。

みるみる大きくなり、その先端がこちらに伸びてきた。

まっしぐらに神社の屋根に向かってくる。清一は身動きができない。神社の瓦屋根が陽炎《かげろう》が立ったようにぐらついて見えた。

以後視界に映じたものは、まるでトリック映画のコマ落としだった。すべてはゆっくりと進行した。

北一輝のケープが翻《ひるがえ》り、北は仕込杖《しこみづえ》の鞘《さや》を払った。

腰を落とし、下段に構えた。

清一が振り返ると、拝殿の格子の内側が緑色に輝いている。耳のつんとする感じはいっそう強まった。緑色の妖光を発する何かが格子の間を抜け出してくる。その頭部には年旧《としふ》りた鹿の角のようなものが生えており、赤い目が備わっていた。

川から迫った黒いものが緑の光を放つ怪物と中空で合体しようとしたとき、北の刀が弧を描いて、黒い魔物を斬った。

緑の怪物の口がかっと開かれ、赤い炎が吐き出されるのを、清一は見たように思う。首の下から突き出た退化した肢の先端には鉤型《かぎがた》の爪があった。

黒い魔物が北一輝の身体を取り包もうと襲いかかる。生臭い風がどっと吹き寄せた。

北は悪風に抗《こう》し、刀の刃を上に向けて突き出し、先端に左手を添えて構えた。

清一は転倒して石灯籠《いしどうろう》に叩きつけられた。北の刀が魔物を撥《は》ねつけるように斬った。

だが、緑色の怪物は黒い怪物の中に呑み込まれた。いっそう大きくなった黒い魔物は、砂埃を巻き上げ、今度はどす黒い光沢《こうたく》のような腹部を見せながら、川面に吸い込まれていった。

「大丈夫か、海江田少尉」

清一は北に助け起こされた。

「不覚をとりました」

「無理もない。白髭神社の龍神も抜け出して行きよった」

「やつらは帝都のどこへ向かったのでしょう」

「想像はついておる。しかし、簡単にはいくまい。わが国には古来の神がついているのだ。これより家に帰って『神仏壇』に祈るとしよう」

5

その夜、皇居のお堀でちょっとした異変が生じた。

夕方から降り始めた雨は夜半《やはん》に入って降りやんだが、風はいっこうおさまりそうになかった。そのくせ黒雲が皇居の上空に停滞して渦を巻き続けた。

皇居を取り巻く堀の水が、まるで黒雲から吸い上げられるがごとく波立った。

黒雲の間から稲光《いなびかり》が堀の水に降りかかった。

二重橋の下に稲光が走った。二度三度。稲光に白い櫓《やぐら》の壁が浮かび上がる。

お堀を望む皇居の回廊を重臣たちが歩いてゆく。今、天皇の謁見《えっけん》を受けて退出し、宮内省の控えの間に向かっているところだった。

警視総監堂本三郎は重臣たちのはるか後ろを侍従《じじゅう》の入江相政《いりえすけまさ》に案内されて歩いていた。重臣たちと一緒に歩くのはあまりにも恐れおおい。身分も社会的地位も違うのだ。

重臣たちが歩き去る姿が、窓からときおり差し込む稲光に浮かび上がる。

彼らの後ろ姿は角を曲がって堂本三郎の視界から消えた。

堂本は警視総監の制服に威儀《いぎ》を正し、たった今、じきじき天皇陛下から受けたお言葉を噛みしめていた。すっかり上がってしまっていた。

通常、警視総監が天皇にじきじき拝謁《はいえつ》することは叶わない。今回は天皇が自ら警視総監に会いたいというたっての希望により、参内《さんだい》が実現したのだった。もとより立会人はいる。内大臣斎藤実《まこと》と侍従長だった。彼らはこの身分違いの対面に内心不服だった。

謁見は、総理大臣や陸相、内大臣、教育総監など多くの重臣たちの最後に、ほんの僅かな時間であったが、その間に天皇は堂本に向かいはっきりと言ったのだ。

「帝都の治安はおまえの肩にかかっている。しっかり頼むぞ」

その独特の抑揚《よくよう》を持った無私の言葉に、堂本は身の震えるような感動を覚えた。堂本は五十二歳になる。それがはるか年下のひとりの男の言葉に心を揺り動かされたのである。

青年将校たちの不穏な動きについて、重臣たちは大御心を煩《わずら》わせてはならぬと奏上《そうじょう》を控えてきたが、天皇は敏感に感じとっていた。それで今夜の警視総監お召しに到ったのだ。重臣や軍幹部への御下間《ごかもん》のあと、堂本も拝謁したのである。

天皇が警視総監を召した理由は、東京都民の生活のことが大御心に浮かんだからに他ならない。それにこそ、堂本は感動したのだった。

またも窓外に雷鳴が走った。街灯に照らされた雨足は速く、皇居のお堀の水に飛沫《しぶき》が上がっていた。堂本はふと水の表に何かが動いたような気がした。黒いものが身体を蠢かせているのだ。

目の迷いだろう。堂本は侍従の後を追おうとした。

次の窓まで来たとき、堂本は視界の隅に何かを捉えた。

身体を冷たいものが貫いた。魅入られたように顔を向けた。

堂本の眼前に、窓枠一杯に埋め尽くした鰐《わに》の皮膚のようなものがあった。

その皮膚が揺らいだ。ゆっくりと上がり眼球が現われた。白目の部分に赤い血管が走り、黒目の部分はあくまで黒い。堂本は動くことができなかった。

もう一度まばたきがあって、今度は眼球は動かなかった。そこから白い霧のようなものが流れ出し窓枠の隙間《すきま》から入り込んだ。

　霧は廊下を這い、音もなく堂本の眼前で人型を現出した。人型は身動きのとれない堂本に接近した。両手を垂らしたままゆっくりと堂本に重なった。

　侍従の入江相政はなにげなく振り返って、堂本を見た。

　堂本の身体が何となく揺らいでいる。

「警視総監、お具合でも」

　堂本が立ち直った。

「いや、立ち眩《くら》みがしたまでのこと」

　入江の耳がつんとなって、堂本の声がくぐもって聞こえた。

　清一はこの晩、当直士官勤務のため自宅には帰らず連隊にいた。司令部を六本木の交差点まで出て、溜池《ためいけ》方面を見下ろした。

　正面の坂下には、皇居を背景に帝国の中枢機関が密集していた。

　桜田門から三宅坂《みやけざか》まで。そこから赤坂見附を経て六本木へ。さらにそこからまた桜田門へ。中央に新築なったばかりの国会議事堂、外務省・内務省・赤煉瓦ビルの警視庁・陸軍参謀本部・首相官邸・陸軍大臣官邸などが密集していた。

　清一は帝国の中枢部上空に黒雲がひとしきり渦を巻き、やがてゆっくりと嘗《な》めまわすように降下し、霧となって散ってゆくのを目撃した。

あの黒雲は……北一輝とともに白髭神社で遭遇した敵に間違いなかった。


翌朝の新聞はこの有りさまを時ならぬ天変地異として報じた。

翌朝、安藤大尉は清一を呼びとめて詰問《きつもん》した。

「どうした、海江田少尉、顔色がよくないぞ」

清一はよほどのこと安藤大尉にすべて話してしまおうかと思った。だがかろうじて踏みとどまった。北一輝に、今は誰にも話してはならないと釘を刺されたのだ。

「いいえ、考えごとが多いものですから」

十一月に入って、青年将校たちの秘密の会合も数を増していた。どうやら、在京の皇道派の将校たちは皆、外地に転出させられるという。そうなったら維新計画は御破算《ごはさん》となる。軍当局としては、不穏な将校たちを抑えるための人事異動だった。

青年将校たちは焦っていた。中でも先に軍籍を失った磯部浅一《あさいち》元一等主計や元歩兵大尉の村中孝次《たかじ》は、元の同志たちと語らい、計画実現に向かって動いていた。その思想的背景をなしたのが北一輝と西田税であることはいうまでもない。

安藤大尉は何か切り出そうとしていた風だったが、思い直したように、去っていった。

6

翌日、北一輝から手紙が来た。

「相談事があります。できるだけ早く拙宅《せったく》においでください。ぼくは当分の間、外出することはありません」

その夜、清一は中野の北家を訪ねた。

木の香も新しい贅沢《ぜいたく》な二階建てを想像していた清一は、あまりにも古びた家なので、驚いた。丸木の門柱の上に街灯が弱々しい光を投げかけている。

突然、玄関の戸が開いて、若者が出てきた。切れ長な美しい眼。鼻筋が通っている。しかし、その服装は縞の背広に赤いスカーフ。およそ、北の家から出てくるに相応《ふさわ》しいものではなかった。

若者は清一から眼を逸《そ》らすと、清一のわきを通り過ぎた。ぷんと香水とウイスキーの匂いがした。若者は足早に去っていく。板塀《いたべい》の陰にいた芸者らしい女が若者の手を引いて自らの手に絡ませ、寄り添うように闇の中へ姿を消した。

かわりに門に出迎えたのは和服姿の西田税だった。頭髪を短くしているので、まるで書生のようだった。

「よく来られた。お上がりください。先生はお待ちかねだ」

「今出ていかれたのは、どなたなのですか」

「あれか」

と西田は口を不快そうに歪めた。

「先生の御長男の大樹《だいき》どのだ。困ったお人でな。父の心子知らず、博打《ばくち》と女に使う金をせびりに来たのだ」

「先生にお子さんがおられたとは知りませんでした」

「大樹どの自身は知らないが、実は北先生が中国革命の同志から託された子だ。先生は実子として今日まで大切に育ててこられた。甘やかしたので放蕩三昧《ほうとうざんまい》になってしまった。厳しい先生の唯一の泣きどころだな」

西田はつい喋り過ぎたと思ったのか、咳払いして「どうぞ」と清一をうながした。

玄関を上がってすぐ階段が上に伸びている。そのわきに暖簾《のれん》が掛かっているのは台所だろうか。右手に家人のものらしい部屋が廊下沿いにふたつほど見えた。

読経《どきょう》の声がどこかから伝わってくる。

左手にひときわ長い廊下が伸びている。雨戸はすでに閉まっている。もしかしたらずっと閉じられたままなのかもしれない。反対側の障子《しょうじ》も閉まっており、電灯はつけられていなかった。正面に明かりが灯っている。読経の声とともに香《こう》が漂ってくる。

新しい『神仏壇』は家の離れに位置していた。清一が近づくと、ドアの内側で読経の声がやんだ。

「入りたまえ」

と声がした。

清一が恐る恐るドアを開けると、ふたりの人間の後ろ姿が見えた。

左手のひとりは長い髪をしたすず子だった。そしてもうひとりはむろん北一輝である。ともに祭祀用の白無垢《しろむく》の衣装に身を包んでいた。

『神仏壇』の中央には明治大帝の肖像画が祭られている。そして左右に白木牌にかわり、『南無妙法蓮華経』の書が一葉《いちよう》ずつ吊るされている。恐らく北一輝の揮毫《きごう》と見られた。

「妻のことは気にかけないでくれ、今夢想に入っておる」

北は清一を自分の右わきに座らせ、正面に両手を合わせたまま言った。

「先日の嵐のことに気づいただろう。ついに魔物たちは行動を起こしおった」

「ぼくも気づいていました。早く先生と御連絡をお取りしたかったのですが――」

清一は六本木の交差点から見下ろした皇居方面一帯の黒雲のことを話した。

「魔物の狙いは皇居なのだ。白髭神社の魔力をも集めた魔物は巨大な黒雲となってまず皇居を襲おうとした。二重橋の辺りに攻撃を仕掛けて、どうやら失敗したらしい。そのため次の作戦に出た。霞が関を占拠したのだ。そうして皇居を窺おうとしている」

「近衛《このえ》師団にすぐ連絡して対策を立ててもらいましょう」

「ばかな」

北一輝はこのときだけはじろりと清一を睨《にら》みつけた。

「かような魔物の話。到底信じてはくれぬ。ことは魔界の戦いなのだ。きみもぼくもやつらの悪行《あくぎょう》をこの目で見ているからこそ、信じられるのだ。こうなったらひとつしか手段はない。ひとつだけだが、絶好の機会だ」

「と申されますと――」

そのとき、北の妻すず子が立ち上がった。切れ長の目は熱を帯びて爛々《らんらん》と輝いていたが、両手はだらりと垂れたままだ。夫の前に回り、

「波が打ち寄せているのが見えます。満潮なのでしょう」と告げ始めた。

「波打ち際にとてもたくさんの魚が跳ねております。その中に干し柿の形をした魚が多く見られました。わたしは漁師らしい男に聞いてみたのです。この魚の名は何というのです？　男は応《こた》えました。これはこの世に生まれたばかりの魚ですので、わたしにも分かりませぬ。魔魚であることは確かですが……」

そこまで喋って、すず子は急に倒れ伏した。北が揺すると、ゆっくりと夫の腕の中で目を開いた。

「夢を見ました。たくさんの魚が陸に上がろうとしている夢です」

「聞かせてもらったよ」

と北は優しく妻の肩を抱いた。

「おまえの霊媒としての今日の務めは終わった。下がって休むがよい」

すず子はドアから消えていった。自室に引き上げたのだ。

「神のお告げだ。魔物が水の中から上陸しようとしている」

清一は息を呑んだ。

そのときである。縁側で「誰だ！」と誰何《すいか》する西田税の声がした。

清一が飛び出てみると、雨戸を蹴倒して、西田が庭で男と格闘していた。

男は前髪を垂らし、書生風の和服を着ていた。

男は西田の手を振り切り、植え込みの間を門の方角へ逃れようとした。西田がその脚に飛びつき、男は石燈籠に頭を打ちつけて転倒した。書生たちが飛び出してきて、男を取り押さえた。

西田が男の長い髪を掴んで顔を起こさせた。

「おまえは何ものだ。北一輝先生のお宅と知って入り込んだのか」

「いいえ、とんでもない」

と男は首を横に振った。

「すみません。つい出来心で、泥棒に入ってしまいました。どうかお許しください」

「泥棒だと。煌々《こうこう》と明かりのついた家に、しかも、こんな早い時刻に泥棒に入るものがいるか」

「昨日から何も食べておりません。それで無駄と知りつつ、ついふらふらと――」

「嘘をつけ」

西田は男の頬を拳で殴りつけた。

「名を名乗りたまえ」

「……木島……真一」

再度、拳が飛んだ。

「いいかげんな名前をつくりおって」

「殺せ」

と男は唇から血を流しながら傲然《ごうぜん》と見返した。

「よかろう」

西田は懐から短剣を取り出し、鞘を払った。ずいと男の頬に近づけた。さすがに男の顔色は変わったが、口はへの字に結んだままだった
西田が刃に力を込めようとしたとき、縁側から北一輝が制した。

「おまえたちは下がりなさい」

落ち着いた声で北は言った。

「しかし」

西田税はためらった。

「いいから放しなさい」

北は縁側から降り、男の前に立った。

「教祖さまはお元気か?」

その一言に男は見るも哀れにうろたえを見せた。着物の袖を揉《も》みしだき、頭をそむけ、膝は落ち着きなく地面を動いた。

「たしか、飯島天命《てんめい》くんといったな。京都で一度お見かけしたことがある」

「恐れいりました」

男は平伏《へいふく》して、頭を地面にこすりつけた。

「御無礼の段、ひらにご容赦くださいませ」

清一は西田と顔を見合わせた。何が起こっているのか、とっさには判断つきかねた。北一輝はさらに驚いたことに西田に命じて、男を座敷に通させた。

「きみが誰に頼まれてぼくの家を窺っていたか、わけは問うまい。だが、ぼくが教祖に敵意を抱いていないことは分かってもらいたい」

「そのようなこと。今回のことは教祖さまは何も存じてはおりません」

「内田さんの命令か」

「いや、その」

「隠さなくてもよい。ぼくには分かっている。心配症なのだ、あの方は。ぼくが教祖の地盤を崩そうとしているとでも思っているのだろう」

北一輝は書生に命じて、和紙と筆を持ってこさせた。

「出口さんに、ぼくの手紙を持っていっていただきたい。北一輝がぜひ、お会いしたがっていると伝えてもらいたいのだ」

出口という名前に清一はぎくりとした。西田も顔を強ばらせた。

7

出口王仁三郎《でぐちおにさぶろう》は明治四年（一八七一）京都の貧農の長男として生まれ、宗教法人大本《おおもと》教祖として頭角を顕《あら》わした新興宗教界の怪物である。

すでに明治三十一年から神秘体験を重ねて霊学会《れいがくかい》を設立、病気治療などの布教活動を始めていたが、明治末には機関誌『直霊軍《ちょくれいぐん》』を発刊、神殿も造営して積極的に布教活動を展開した。

その説《と》く予言と終末観は農民や都市勤労者ばかりではなく、知識人・軍人の間にも受け入れられた。とりわけ日刊新聞を発刊したところから、爆発的に信者を増やした。大正十年（一九二一）には弾圧を受けるが、出口王仁三郎はまるでめげなかった。『霊界物語』の口述を始め、ますます勢力を伸ばしてゆく。

彼が傘下の「昭和青年会」、婦人組織「昭和坤生《こんせい》会」を主体として、より実践的な団体「昭和神聖会」を結成したのは昭和九年(一九三四)七月のことだった。

　東京九段の軍人会館での発会式には各界の指導者、陸海軍軍人、三千人が集まった。祝辞を述べたのは、右翼の巨頭頭山満《とうやまみつる》、陸軍中将安藤紀三郎《きさぶろう》、元外務大臣松岡洋右《ようすけ》、衆議院議長秋田清《きよし》、内務大臣後藤文夫《ふみお》など錚々《そうそう》たるものだった。

『みろく神政成就《しんせいじょうじゅ》』を祈る綱領《こうりょう》には『祭政一致』『神国日本の大使命』『皇道経済・皇道外交』『皇道は国教』『国防充実と農工商の興昌《こうしょう》』などの言葉が多く見られ、やがてこの勢力は地方本部二十五、支部四百十四、賛同者八百万を超えるにいたる。

　昭和九年七月にできた岡田啓介《けいすけ》海軍大将の新内閣は、牧野伸顕《のぶあき》など重臣グループの傀儡《かいらい》政権といわれ、内には天皇機関説問題、外にはファシズムの興隆などで安定を失っていた。

　国内の人心は民族的な危機意識から、皇道のみが不況から脱出させてくれると思い込みはじめた。とりわけ貧しい農村にその意識が強かった。

　軍部青年将校たちのカリスマ的存在である北一輝にとって、出口王仁三郎は、絶好のライバルであり、協力者だった。

　すでに大正九年、北は上京した出口王仁三郎と会っている。そのとき同行した大川周明《しゅうめい》の感想は「あの男は権力亡者だ」というものだったが、北本人の受けた印象は違っていた。北は出口の目の中に自分と同じ光を見ていたのだ。

今回、北一輝と出口王仁三郎の会見は、十二月に入ってすぐ、帝国ホテルに取られた王仁三郎の貴賓室《きひんしつ》で行われた。北と西田税、そして清一が三階のエレベーターを降りると、屈強な大本教の教団員がずらりと待ちうけていた。その先頭に壮士姿の丸坊主の男がいた。

「北先生、お久しぶりです」

男は頭を下げた。

「内田さん」

内田良平は明治・大正・昭和にかけての右翼の巨頭である。大アジア主義と天皇主義を唱えて黒龍会《こくりゅうかい》を主宰、中国、ロシアへと足を延ばし、活躍していた。現在、昭和神聖会の副統管《とうかん》を務めていた。明治七年生まれだから、十二年生まれの北一輝より六歳年上、右翼の皇道歴でも先輩である。それが北を先生と呼び、頭を下げて見せた。

「先日は部下が御無礼しました」

「飯島天命くんは元気ですか」

「腹を斬りましたわい。己の非礼を詫びてな。どうぞ、お許しください」

「なんと」

北一輝は顔を上げた。

「あのものは、あなたの御命令で動いたのではなかったのか」

「わたしはわたしなりに、貴方に対して責任をとらしていただく。まずは――」

と扉のひとつに誘《いざな》った。

扉が開くと、正面のソファに太った巨漢が座っていた。

大きな目、大きな鼻、下膨《しもぶく》れの頬。頭部が異様に長く、目の位置が相対的に低い。あきらかに異相だった。ゆったりした白い衣装に身を包み、肉づきのよい首から黄金色の袈裟《けさ》のようなものを掛けていた。衣装の袖からのぞいている腕はふっくらと膨れていた。両側に護衛の教団員が控えていた。

「北さん、よくおいでくだされた」

出口王仁三郎はゆったりと立ち上がり、前に出て北の掌《てのひら》を両手で握りしめ、振ってみせた。

「お招きいただいて恐縮です」

北一輝は頭を下げ、出口に勧められるまま向かいのソファに腰を下ろした。

「御紹介しましょう。海江田清一少尉です」

「海江田です」

と清一は立って挙手の礼をとった。

出口王仁三郎は目を細めた。それから「よろしく」とだけ言った。

「北さん、この度の御無礼、わたしからも深くお詫びいたします。あなたは、政財界で今やもっとも注目される御仁《ごじん》だ。わが教団でも、どうしても気にかけるものが出てくる。部下の不始末はわたしの不徳の致すところだ。わたしは上京してあなたに会わねばと決心した。それに言いわけにもなるが、以前からあなたにはあらためてお会いしたかった」

「わたしもです、教祖」

北一輝も言った。

「それは嬉しい。青年将校たちの動向はわたしにも伝わってくる。これはまさに、わたしとしても願ってもないことと勇気づけられる。あなたも何かと物入りだろう。戦さには軍資金が必要というわけだ」

出口は教団員に向かって顎をしゃくった。

しばらくして、内田良平が北一輝の前のテーブルにボストンバッグを置いた。ずっしりと重い。

内田がチャックを引いた。中から札束がのぞいた。

「全部で二十五万円あります。これを使っていただきたい」

清一は息をのんだ。現在の価値に直すとざっと五億円である。

「これは……大金ですな」

北一輝は平然と言った。

「悲願をひとつにするものの、気持ちのあらわれと酌《く》んでいただきたい」

「お志《こころざし》ありがたくお受けします。この北輝次郎《てるじろう》、何にもまして、あなたという友を得たこと、神に感謝いたします」

北一輝は本名の輝次郎を名乗って、礼の心をあらわした。

「わたしにしても同じ気持ちです」

「ついては」

と北は身を乗り出した。「折り入ってお話ししたい儀《ぎ》がございます。お人払いいただけますか」

「よろしい」

出口は教団員たちに目配せした。

「内田さんにはおいでいただいてよろしいですな」

「願ってもないこと」

「その軍人さんは」

と内田が牽制《けんせい》する視線になって、清一を見た。

「海江田少尉はこの件に関しては被害者であり、同時に貴重な目撃者なのです」

北は清一を隣の椅子に招いた。

部屋には出口王仁三郎と内田良平、北一輝と海江田清一少尉の四人だけとなった。

「教祖は、この前、上京されたのはいつのことですか」

「丸一年ぶりだろうか」

「何か異変にお気づきではございませんか」

「といわれると……黒い雲のことかな」

出口は顎を指先でこりこりと掻《か》いた。

「御存知ですか」

「この帝国ホテルには昨夜着きました。窓から見ると皇居の上に大きな龍の形が見えたのです。あなたの言われる異変とはそのことですか」

「そのとおりです」

「実をいうと京都の御所《ごしょ》にも黒雲がかかっております。それは私だけに見えたと思っていたが、北さん、あなたにも見えましたか」

「では、やはり京の都にも……。わたしは日本各地に祭られた龍神が、わが国を乗っ取ろうと、いっせいに動きだしたと読みました。現に、海江田少尉の故郷、福井の九頭龍川では龍神とおぼしき魔物が川を抜け出したのです」

清一は北に促されるまま、九頭龍川であった出来事を逐一話していった。

出口は腕を組んで聞いていたが、やおら目をかっと見開いた。

「龍神の策謀か……」

「出口さん」

と北一輝が真正面から教祖を見た。

「わたしとともに、魔物に対抗していただけますか」

「勿論《もちろん》のこと。しかし、魔物は今、どこに」

「魔物はかしこくも陛下のおわします皇居を襲おうとし、今は桜田門から赤坂見附、六本木と結ぶあたりに潜《ひそ》んでおります。そこまではわたしが祈りで封じておりますれば。教祖にもぜひとも京都の魔物を封じていただくよう御協力いただきたい」

「分かりました。わが大本教の面目《めんもく》にかけても、魔物をわが皇国から追い出してくれましょう」

「これは心強いお言葉。この北輝次郎、感服《かんぷく》いたします。されど、このたびの災い、おいそれと水底には返りますまい。そのために、魔物の潜伏《せんぷく》場所を突きとめ、自ら対決する所存です」

「ほう」

と教祖は目を細めた。

「しかし、見つかりますかな、魔物の潜みし場所が」

「その手段は考えてありますが……今はまだ申し上げるときではありますまい。そのときが来れば、真っ先に教祖にお伝えいたします」

「楽しみなことだ」

出口は北一輝の手を取った。

それから手を放し、ぽんぽんと叩いた。

ドアが開いて、あらかじめ用意されていたものだろう、酒とつまみ、寿司などを載せたワゴンがホテルのボーイたちに押されて入ってきた。教団員たちも入ってきた。それからひとときの酒宴が張られた。


北一輝たちがホテルを出たときは、すでに冬の陽は西に傾いていた。大金の入った鞄は西田税が抱えていた。待たせてあったハイヤーに乗った。

日比谷交差点から桜田門方面に向かってゆく。

宮城の白壁や森蔭《もりかげ》が赤く輝いている。清一にはそれが帝都を焼きつくす炎のように感じられた。

祝田橋で車をいったん降り、二重橋前まで歩いていった。清一たちは玉砂利《たまじゃり》にひざまずき皇居を礼拝した。

車に戻ったとき、北の鋭い目が警視庁の煉瓦ばりの建物に注がれた。

「黒雲がかかっている」と北は呟いた。清一にも見えた。三宅坂一帯に黒雲が淀んでいたのだ。西田は自分には見えないといって、悔しそうに唇を震わせた――。

「先生は、魔物の潜伏場所と申されました。魔物はどこにいるとお考えですか」

車の中で清一は助手席から北に訊いた。

「今回の魔物は水神だ」

と北一輝は言った。「皇居のお堀をまず占領しようとするだろう。皇居は天照大御神に護られているから、おいそれとは魔物にも歯がたたぬ。皇居のお堀の水の注ぎ込むところ、その近くの地底に潜んで全国の魔物の力が満ちるのを待ち構えているのだ。そのあたりに住む人間のあるものは、魔物にその心を奪われてしまっているに違いない。警視庁か首相官邸が怪しいとぼくは見ている」

「それでは――」

われわれ青年将校の攻撃目標ではありませんか、と言おうとして清一は口を閉じた。

「きみの考えるとおりだよ。大本教が他の魔物たちを祈りで抑えてくれれば、われわれも動き易いというものだ。天下国家のため、出口さんは心強い味方だよ」

8

「お巡りさん」

警視庁の地下にある留置所の中で〝チビ滝〟こと小滝昭三《こたきしょうぞう》は鉄格子に掴まって、警備の警官を呼んだ。

「たのむ、お巡りさんよう」

「うるせえな。寝られねえじゃねえか」

とドスの効《き》いた声で言ったのは同房の金城昇《きんじょうのぼる》だった。強盗前科三犯、今度の恐喝《きょうかつ》傷害で四犯になる。

「ぐたぐた言うと、張り倒すぞ」

「でもよお、聞こえないか、あの音」

「なんだ」

「床に耳つけてみろよ、ぴちゃり、ぴちゃり。水の音だ」

「……聞こえねえな、ちっとも」

「お巡りさん」

「うるせえ」

金城昇がどなった。

「何をやっている」

警備の警官が立っていた。中年の、人のよさそうな男だった。

「お巡りさん」

とチビ滝がほっとした表情になった。

「音がするんですよ、この下で」

チビ滝は床に横たわって耳をつけた。

「ばかをいえ、この下には何もない。この留置所が地獄の一丁目だ」

「じゃあ、あれは地獄の海だ。血の海が波うっているんだ」

「冗談はやめろ」

「信じてくれよ、ほら聞こえた」

チビ滝は耳を床につけたまま、いきなりググッと呻くと、その目が大きく見開かれ、飛び起きた。

「聞こえるよ、ほら」

チビ滝の顔は蒼白だった。

警官も床に腹ばいになると、耳を床につけたが、目を白黒した。

起き上がって鉄格子の内を見やった。金城が背中を向けて鼾《いびき》をかいていた。

「鼾しか聞こえやしない」

口を尖らせて起き上がった。

「チビ滝、お前ももう寝るのだな」

「そんな――」

「うるさい、黙れ」

言いおいて、警官は階段上の執務机《しつむづくえ》に戻っていった。

チビ滝は壁にもたれ膝を抱えて震えだした。

警官の名は椎名正夫《しいなまさお》という。椎名はそれまで読んでいた『少年倶楽部』の二月号を手にとった。息子の本棚から、夜勤の暇つぶしのために失敬してきたのだ。江戸川乱歩の『怪人二十面相』の連載が始まったのである。

ロマノフの宝冠《ほうかん》を奪おうと予告してきた怪人二十面相。迎え撃つは名探偵明智小五郎《あけちこごろう》と少年探偵団――。椎名はまた、少年小説の世界に戻っていった。

ぴちゃり。

今度は確かに聞いたと思った。チビ滝の言葉は嘘ではなかったのだ。

椎名はホルスターのホックを外すと拳銃に弾丸が入っていることを確認し、懐中電灯を手にそっとドアを開け、階下に続く階段を降りた。さきほどチビ滝には、階下には何もないといったが、実はボイラー室がある。暖房のための炉《ろ》や発電機やビルの維持装置がすべて備わっている。そこに水漏れがあるというのだろうか。

常夜灯が天井のそこここに灯っている。

深夜なので人気《ひとけ》はなかった。暖房のもとになるエンジンの音だけがずんずんと響いている。異様な熱気だった。中央に金網に囲まれて機関が作動していた。だから水音は聞こえるはずもなかった。椎名は天井や壁に水漏れがないか懐中電灯の光を投げながら移動していった。

やがて壁の一角に到った。神棚である。小さな鳥居が大きな影となって天井を斜交《はすか》いに走り、椎名は一瞬どきりとした。

神棚はちょっとした仏壇ほどの大きさがあった。人間が拝むほどの高さに白木の拝殿が置かれ、左右に榊《さかき》の枝が活《い》けられていた。棚の下は戸棚になっている。

通過しようとしたとき、椎名は水の滴《したた》る音を聞いた。

水の滴りは、どういうわけか大きくこだまして響き渡った。この壁の奥には――。

「何をしている？」

背後から声をかけられて、椎名は驚きのあまりのけぞりそうになった。

拳銃に手をかけて振り返ると、長身の男が立っていた。金の肩章がまばゆい。

懐中電灯が口髭を照らし出した。どういうわけか目の部分は陰になっている。

「警視総監」

椎名は敬礼した。

それは堂本三郎警視総監だった。

「留置所はどうした。きみは担当ではなかったのか」

「は」

椎名は背筋を伸ばした。「それが……水漏れがしたものですから」

椎名は留置所で留置者が水音を聞いた話をした。

「わしには聞こえないがな」

「いえ、この神棚の奥で、確かに」

ぴしゃり。

「ほら、聞こえたでしょう」

「聞こえたよ」

警視総監が前に出た。途端に冷たい空気がふわっと椎名に吹きかかった。警視総監の足元が霧状のものに包まれている。その霧は神棚の下の隙間から湧き出している。

「総監――」

と指差した椎名の首に堂本の両手がかかった。ぐいと締め上げる。

椎名はどこかでぼきりと何かの折れる音を聞いた。それが自分の首の骨の折れる音だと気づく前に、椎名の頭の中を熱いものが満たし、椎名は息絶えた。


留置所の中では相変わらず、金城の鼾が聞こえている。チビ滝は壁に寄りかかったままガタガタと震えていた。鉄格子の間から冷たい霧が入り込んできているのだ。

「お巡りさん」

と呼ぶのだが、返事はない。格子から首を出して覗くのだが、机のところに巡査の姿はない。

「うるさいな」

ついに金城が目を覚まして起き上がってきた。肩や腕に筋肉が盛り上がっている。見上げるような大男だ。チビ滝の首を両手で掴んで、ぐいと吊り上げた。チビ滝は地面から離れた両足をばたばたする。

「あにき、放してくれよ。そこに、そこに――」

と床の霧を指し示そうとした。

金城昇はなにげなく見た——格子の外に男が立っていた。

何かを一方の手で引きずっている。制服が見えた。巡査の身体であることが分かった。

鍵穴に鍵が差し込まれた。男が入ってきた。金色の肩章をつけた男だ。

「あんたは——」

警視総監、という金城の言葉は断ち切られた。扉が開き、男の死体が凄い勢いで投げ込まれた。金城は死体と一緒に壁に叩きつけられた。同時にのっそりと警視総監が入ってくる。

あっというまにチビ滝の首を掴んでねじ切った。

「てめえ、化け物か」

金城が起き上がって警視総監に掴みかかる。総監の足蹴りが金城の腹に決まった。前のめりになった金城の首に総監の手刀《てがたな》がめりこんだ。

翌朝、留置所の中で死んでいる三人の男が見つかった。留置されていた二人が喧嘩をし、止めにはいった巡査も巻き込まれて死んだ、ということで内々に処理された。警視総監の堂本が、世情不安のおりから、騒ぎを警戒したのだった。

9

出口王仁三郎の大本教が警察の大規模な手入れを受けたのは、わずか数日後の十二月八日のことだった。

その報《しら》せを清一は中隊の食堂にあるラジオのニュースで知った。

北一輝に電話をすると、北はすでに知っていて、苦々しい声で応えた。

「魔物め、やりおった」

ニュースによると――。

今朝早く、約三百人の警官が京都府何鹿《いかるが》郡綾部《あやべ》町の大本教本部、南桑田郡亀岡《かめおか》町の大本教天恩郷《てんおんきょう》を襲った。

検挙された幹部は全国で二百名にのぼっているという。もちろん出口王仁三郎も逮捕された。

治安維持法違反と不敬罪《ふけいざい》の容疑である。

「残念だが、われわれはかけがえのない協力者を失った」

と北は落ち着いた声で言った。

「しかし、おかげで魔物の居場所が分かった」

「どこなのです、それは！」

「出口さんを強引に逮捕したのは警察だ。おそらく魔物は警視総監に乗り移った」

「では、魔物は警視庁にいるのですか」

「そうだ。われらの真の目標は警視庁の地下深くだ。ぼくはこれから断食《だんじき》して神の御託宣《ごたくせん》をいただくつもりだ」

それで電話は切れた。

魔物は警視庁にいる！　皇居に通じる桜田門は目と鼻の先だった。

大本教団の土地建物は没収され、教会は爆破された。大本教が治安警察法の結社禁止令によって解散を命じられるのは、翌昭和十一年の三月十三日のことである。出口王仁三郎は昭和十七年まで獄《ごく》に繋がれることとなる――今日に到る大本教の復活は戦後まで待たねばならなかった。

第四章　魔神憑依

1

年が明け、昭和十一年の正月三日の夜、北一輝の家に青年将校たちが集まった。

昼間のうちに北家に来る年賀の客は帰ってしまっていた。青年将校たちは他の年賀回りからの流れで、まだ顔を赤くしているものもいた。あらかじめ、安藤大尉を通じて声をかけられていたものばかりである。村中孝次・河野《こうの》寿《ひさし》元大尉、磯部浅一元一等主計、安藤輝三《てるぞう》大尉、野中四郎大尉、栗原安秀《やすひで》・中橋《なかはし》基明《もとあき》中尉、そして海江田清一少尉といった面々である。

憲兵の注意を惹《ひ》いてはいけないので、将校たちはそれぞれ昼間は別行動をとり、その予定を早く切り上げる形でアリバイをつくり、中野桃園町の北一輝宅に集合したのだった。

「今日、諸君にお集まりいただいたのは、帝国に迫る魔物のことを話しておきたかったからだ」

北一輝が話しはじめた。

「昭和四年の夏のことだ。ぼくはこの西田くんと宮城《きゅうじょう》の近くを通りかかったとき、宮城の上に妖しい黒雲がかかるのを見た。ぼくは皇国に危機が迫る予兆と読んで、以来霊告《れいこく》を日記に記し警戒を強めた。それが昨年の夏、またも黒雲が出現した。今度はそいつが禍々しい赤い目を持ち、毒気を吐いているのが、まざまざと見えた。妖雲はしばらくとぐろを巻いて蠢いていたが、やがて舞い上がった。ぼくはこの『神仏壇』に祈り、妖雲の行方を追い、その結果、福井の九頭龍川の上流に向けて飛び去ったことを知った。すぐさまぼくは後を追って福井に向かった。そして、そこで九頭龍川の水底に長いこと潜伏していた魔物が抜け出したことを知ったのだ。この海江田少尉がそのことをよく知っている。なにしろ、海江田くんの父上は、九頭龍川の安寧《あんねい》を護《まも》る黒龍神社の宮司だったのだから」

清一は北の視線に促されて、九頭龍川で父の死体に起こった異変、洞窟の魔物のことなどを話した。

「まさか、そんなことが」

野中大尉が憮然《ぶぜん》とした面持《おもも》ちで口を挟んだ。「われわれが考えねばいけないのは、昭和維新のことです。決起のことこそ、重要なのではありませんか」

野中四郎は陸士三十六期生で、昭和八年に大尉になり、現在は歩兵第三連隊中隊長をつとめている。安藤大尉の二期先輩に当たる。どちらかといえば直情径行《ちょくじょうけいこう》型の正義漢だった。今回の決起将校の中では最先任者である。

「野中くん、聞きたまえ。まだ、先があるのだ」

北が右手を差し伸べて制し、話を継いだ。

「世界でも心ある人々が警告している魔物のことを諸君に話しておきたい。

人類が誕生する遙か以前、暗黒時代の地球には魔物たちがはびこり、邪悪の限りを尽くして互いに争った。そのため、わが崇《あが》める天照大御神《あまてらすおおみかみ》は大いに怒り、その目眩《めくるめ》く陽光の下、邪悪な神たちを地底深く、あるいは海の底深く、封じ込めてしまった。

それから長い年月が流れ、人類が生まれ、文明を築いた。周知のごとく、われわれ人類は天照大御神のおかげでこうして繁栄してこられたのだ。

だが、その間にあって邪神たちは世界のあちこちで復活の試みを行ってきた。

深海の邪神は未開の民を手なずけ地上に勢力を延ばそうと、鰓《えら》で呼吸のできる半人半魚の魚妖《ぎょよう》族を世界のあちこちで生み出した。海江田少尉の父上阿礼氏は船乗りだったころ、米国でそんな魚妖の支配する町に紛れ込み、辛《から》くも脱出することができた。そのとき、わが神国の河川にも魔物が潜んでいることを知った。以来、氏は九頭龍川を護る黒龍神社の宮司として魔物を封じてきた。だが、氏が亡くなるとともに、魔物は九頭龍川の川底の洞窟から飛び出した。この魔物は仲間を集い巨大な勢力となって、宮城を襲おうとしている。今のところわが天子《てんし》さまのお力は敵を寄せつけてはいない。天子のお力は絶大だからな。しかし、もしもわが皇国の内部にいささかなりと弛《たる》みが生じたなら、その隙に乗じて、敵の力は侮ることのできないものとなる。この魔物はわが国を、いや世界中を破壊と混沌《こんとん》の暗黒界に引き込もうとしている。われわれはなんとしてもそれを阻止しなければならない」

青年将校たちがざわめいた。

「先生は、その魔物の正体を、いや『邪神』のことをどこでお知りになったのです」

栗原安秀が訊いた。

「もっともな話だ」

北はうなずいた。「ぼくは若い頃中国にいた。そのとき、中国人のわが同志から遺書代わりに託されたのが、これだ」

北は『神仏壇』から一冊の経典のようなものを取って、栗原の前に置いた。

古びた丸背の本である。背の部分には羊皮紙《ようひし》が使われていた。金糸《きんし》を織り込んだ布製の表紙には『屍龍《しりゅう》教典』とあった。

「欧米では魔物のことは『ネクロノミコン』という古文書に記されている。この本はその翻訳といってもよいが、併せて中国大陸における魔物の来歴についても言及されている」

清一は頭がじんと痺れるようになった。『屍龍教典』――『ネクロノミコン』！

世界に数冊しか現存しないとハワードが手紙に記していた『ネクロノミコン』は、中国にも存在したのだ。

「清朝の頃、西太后《せいたいこう》に仕えた宦官《かんがん》がラテン語から中国語に翻訳したものだ。この中に邪神は九つの頭をもつ龍として記載されている。西太后は本書を一読するや顔面蒼白となり、即座に当の宦官を八裂きにさせたと伝えられている。その後、本書は宮廷の奥深く封印されていたが、清朝末期の混乱で行方不明となり、数奇《すうき》な変転のあげく、わが同志の所持するところとなったものだ」

「しかし、その魔物とわれわれの昭和維新とがどこで繋がってくるのか、分かりません」

と訊いたのは野中大尉だった。

「そのことだ」

北は野中大尉を見て、それから他の青年将校たちに視線を流した。

「この海江田くんも見ていることだが、十一月の末に季節外れの嵐の晩があったのを覚えているだろう」

青年将校たちがうなずいた。

「あの晩、再び黒雲が宮城を襲った。二重橋前のお堀の水に入ろうとして果たせず、永田町界隈《かいわい》に移動した。そこで黒雲は霧となって拡散した。魔物はあの一帯に潜伏したのだよ。しかも、ぼくは大晦日《おおみそか》に御託宣を得た。魔物は人間たちに乗り移り、仲間の魔物たちが集合するのを待っている、と」

「魔物の乗り移った人間というのは誰なのですか」

野中大尉が訊いた。

「ひとりではない。十一月の嵐の晩、実は何人かの重臣が宮城にいた。そのものたちは魔物の稲光《いなびかり》を受けた。そのとき、魔物が彼らに憑依したのだ。調べてみると、当夜、宮城にいたのは、次のものたちだ。総理大臣岡田

啓介《けいすけ》、内大臣斎藤実《まこと》、元内大臣牧野伸顕、教育総監渡辺錠太郎《じょうたろう》、侍従長鈴木貫太郎、内務大臣後藤文夫、大蔵大臣高橋是清《これきよ》」

「それでは――」

と野中大尉が唖然とした表情になった。「われわれの攻撃目標と重なるではありませんか！」

北一輝は深くうなずいた。

「さらにもうひとり」

と言って北は一同を見回した。

「警視総監堂本三郎」

「警視総監はわれわれの攻撃目標には入っておりません」

野中大尉が言った。

「だが、魔物が乗り移っておる。その手引きで警視庁の地下には魔物たちが病巣《びょうそう》のごとく巣くっているものとぼくは見ている。皇居と眼と鼻の先、桜田門前の警視庁こそ、魔物にとって絶好のアジトなのだ」

「それでは、わたしたちが――」

と言いかけた野中を、北は手を上げて制した。

「魔物のことはここにいる諸君だけが知っていることだ。兵士たちに知られては、ことが面倒になる。だから、決起の日には、諸君は予定通り行動してほしい。その他に、この海江田少尉による別動隊を作ってほしいのだ」

「別動隊？」

「そうだ。この隊は警視庁を占拠ししだい、別行動を取り、魔物の巣窟《そうくつ》を探して撲滅《ぼくめつ》する。そしてこの隊にはぼくも加えてほしい」

「先生が」

青年将校たちは顔を見合わせた。

「もとより、表立ってはできない。ぼくは変装していくことになろうな」

北一輝は苦笑した。だがすぐ真顔になり続けた。

「魔物に関するかぎり、重臣たちは哀れむべき被害者だ。しかし、いったん乗り移られたら死ぬより他に呪いから解放されることはない。不憫《ふびん》だが、皇国のためだ」

北は瞑目《めいもく》した。

「わたしは先生のお言葉を理解しました。みんなはどうだ」

と野中大尉が言って、仲間を見回した。青年将校たちはうなずいた。

「ようし、まさしく、昭和維新。堕落した重臣連中も魔物もろともに退治して、帝国を救おうではないか」

野中は身震《みぶる》いを抑えるように杯《さかずき》の酒をぐいと飲みほした——。

2

二月に入ってまもなく、清一の下宿へ北一輝から電話があった。もちろん清一の方は玄関前の階段下の呼出し電話である。

「海江田くん」

という北の声は興奮していた。

「今朝のラジオを聞かなかったか」

「何のことでしょう」

「ニュースだよ、きみ。戸隠《とがくし》で――」

と北はちょっと咳き込んだ。「失礼。戸隠で九頭龍神社の社《やしろ》が雪崩《なだれ》の下敷きになったそうだ。宮司が生き埋めになって死んだ。悪龍が復活したのだよ」

「先生！」

「いよいよ、これで邪神は日本中の龍を集めたことになる。決戦のときは近いのだ」

昭和維新を目指す青年将校たちのひそかな集まりは、ほとんどが神楽坂《かぐらざか》の食堂や料理屋で行われていたが、二月に入ってからは、より秘密を保つため、同志の自宅が使われるようになった。それでも憲兵の目が光っている。

そのため、絶好の会合場所として選ばれたのは、連隊の週番司令室だった。週番司令は土曜から次の金曜まで、中隊長クラスが務める。特に夜間は一切の責任を負うので〝夜の連隊長〟と呼ばれている。このため、週番司令室は青年将校たちがまったく不自然でなく集まれたし、秘密が保たれるのだった。

二月十日夜、安藤輝三大尉が〝夜の連隊長〟を務める歩兵第三連隊週番司令室で会合が開かれた。

出席したのは磯部浅一、河野寿大尉、中橋基明中尉、栗原安秀中尉、そして海江田清一少尉だった。

決起が実行されるのは、この青年将校たちが週番司令で、しかも同時に二名がなるときが好都合だ。この夜の会合には出席しなかったが、歩兵第一連隊の山口一太郎《いちたろう》大尉が十五日からの週番司令の予定を、二十二日から二十八日までに変更していた。安藤大尉は二十二日からの週番司令に決めた。計画に移されるならこの間ということになる。

磯部浅一は昭和維新に関する活動歴はもっとも長く、積極的だった。軍事参議官真崎甚三郎《まざきじんざぶろう》大将や軍事調査部長山下奉文《ともゆき》少将、川島義之《よしゆき》陸相などへの打診を続け、協力を得られるという感触をつかんだのは彼だった。磯部は過激な決起ビラを配ったり、決起未遂を引き起こしたりして免官になっていたから、なおさら、その動きは過激なものとなっていた。

それだけに安藤が今回の決起に最終的に賛成していないのが不本意だった。

清一には、安藤大尉の気持ちがよく分かる。安藤輝三は中隊長である。他の将校たちとは違うのだ。他の将校たちは決起にあたっては、たとえば銃器や弾薬にしても、法律を侵《おか》して持ち出さねばならないし、部下も自分の部下だけのことだ。それが安藤輝三となると、彼の命令は中隊命令となり、軍事出動になるのである。おまけに安藤は人望があった。彼が起《た》たなければ、決起計画は絵に描いた餅と変ずる可能性が強かった。それだけに、安藤大尉は決心がつきかねている。

だが、清一の頭を占めていたのは魔物のことであった。今では、どうしても安藤大尉には動いてもらわなければならないのだ。

二月十八日の夜には目黒区駒場にある栗原安秀中尉の家に、磯部浅一と村中孝次、安藤輝三、そして安藤に誘われた形で海江田清一が集まった。

襲撃の方法および目標が決定された。

歩兵第一・第三並びに近衛歩兵第三の一部を出動させ、これをもって首相岡田啓介・大蔵大臣高橋是清・内大臣斎藤実・侍従長鈴木貫太郎・教育総監渡辺錠太郎等の大臣重臣を攻撃する。また河野寿大尉は別動隊をもって前内大臣牧野伸顕を、豊橋の同志対馬《つしま》元中尉は興津《おきつ》別邸の西園寺公を襲撃する

――と決定した。

このときも磯部浅一の必死の説得にかかわらず、安藤は、うんとは言わなかった。

安藤は隊に戻ると、野中四郎大尉に会合の様子を伝えた。野中大尉は、今やらなければ、われわれに天罰が

下ると、安藤に決起を促した。

十九日、磯部浅一は西田税の家を訪ね、正式に決起を伝えた。翌日には安藤輝三が訪ねてきて、西田の支持を得られるかどうか問いただした。西田が止めるつもりはないと言うと、安藤大尉は帰っていった。ついに大尉も決意を固めたのだ。

安藤大尉が帰ると、西田は外出し、北一輝の家を訪れた。この日の夕刊は、第一師団の満州派遣が発令されたことを告げていた。

翌日には『天皇機関説』の美濃部達吉《みのべたつきち》が右翼の暴漢に襲撃され、脚に重傷を負った。

二十二日、安藤輝三が正式に参加の決心を、訪ねてきた磯部浅一に告げた。

この夜、栗原安秀の家で会合がもたれ、決行は二十六日午前五時と決まった——。

攻撃目標と日時が決まれば、あとは戦いのプロである軍人にとっては、お手のものだった。二・二六に向かって・各部隊の占拠目標・部署・兵力・その他合言葉《あいことば》・標識など、弾薬搬出《はんしゅつ》の方法、軍上層部に対する工作、襲撃完了後の集結位置、などが具体的に決められていった。

二十四日、海江田清一少尉が駒込千駄木の下宿に帰ったのは、午後七時を少し回った頃であった。清一の部屋は二階の東の角である。なぜか窓に明かりが点いている。

部屋のドアを開けると、男が部屋の隅に正座して清一を迎えた。

「勝っちゃん」

田島勝彦は、清一に向かって頭を下げ、笑顔をみせた。

勝彦のわきには座蒲団が使われないまま置いてあり、茶の蓋は取られていなかった。

「すみません。ここのおばさんが気を利《き》かして入れてくださったのです」

清一は軍服の上着を衣紋掛《えもんか》けに掛けてから、勝彦の前に胡座《あぐら》をかいた。

「いつ出てきたんだい」

「福井から汽車に乗ったのは昨日の夕方です。東京にはお昼ごろ着きました。上野公園を見物して時間をつぶしていました」

「手紙でもくれればよかったんだ。迎えにいったのに」

「そんな」

と勝彦は緊張した様子を見せた。

「どうしたんだい。なんだか水くさい感じがするぜ。ところで、東京には何しに出てきたんだい」

「清一さんに会いたかったんだ」

「ぼくに？」

清一は首をかしげる表情になった。「故郷で何かあったのかい。礼子はどうしている」

「宮司のお仕事を礼子さんが代行しておられます。福井の神社では希望者を募ってくれているのですが、なかなか見つからないらしくて――でも、礼子さんは元気でやっておられます」

「そうか。ちょっと行こうか。団子坂《だんござか》にうまい寿司屋があるんだ。今夜はここに泊まればいい」

「いえ」

と勝彦はかしこまった。「今日は……清一さん、いや海江田少尉にぜひお願いがあって来たのです」

「なんだよ、怖い顔して」

「その――」

「礼子を欲しいのなら、ぼくはかまわないぜ。妹だって、きみの求婚を待っているんだ」

「そんな大それたことを、考えちゃいません。清一さん、ぼくに手伝わせてほしいんだ」

「何のことだい」

「清一さんは歩兵第三連隊の将校だ。昭和維新を実行するんでしょう」

勝彦は清一の反応を窺う目つきをした。勝彦は何を言っているのだ。

「ぼくは民間人だけど、昭和維新を企てているものは民間にもいる。清一さんの兵隊のはじっこに、ぼくも入れてください」

「馬鹿なことをいうな。どこでそんなデマを――」

「田舎だって東京の様子は伝わってきます。頼むよ、清一さん」

「そんな計画などありはしないさ。ぼくたちは帝国の軍隊だ。陛下のお膝元で騒乱など起こせるものか」

「清一さん、いや清ちゃん、ぼくにだけは本当のことを話してくれ。友達だって言ってくれたじゃないか」

「いい加減にしろ」

清一は立ち上がった。「怒るぜ、ばかなことを言ってないで、さっさと田舎へ帰って礼子を助けてやってくれ」

「清ちゃん」

「軍人のことにいちいち口を出すな」

「悪い政治のおかげで泣いているのは、ぼくたち貧しいものなんだ。軍人だけが特別だなんて、清ちゃんらしくない言い方だぜ」

「そんなつもりで言ったんじゃない。許してくれ」

「ぼくは清ちゃんが心配なんだ。できるだけそばにいて守ってやりたいと思っているんだ。それに、死ぬときは一緒だと思っている」

「ありがたいが、迷惑だな。この話はなかったことにしよう。さあ、飲みにいこうぜ」

「結構」

と勝彦は言って、立ち上がった。

「そんな腰抜けの軍人さんと一緒に飲みたくはないからな。失礼した」

勝彦はさっさと部屋を出ていった。

友の優しい気持ちは清一にもよく分かった。だが、巻き込むわけにはいかない。

清一が階段を降りて表に出たとき、勝彦の姿はどこにもなかった。街灯が侘しい光を砂利道に投げかけていた。

寂しさが急に押し寄せてきた。勝彦にはもう会えないかもしれないのだ。だが、翌日、北一輝の自宅を訪ねたとき、出てきた書生に清一は目を見はった。雑巾を手に廊下拭きの途中である。

勝彦であった。

北は「きみたちは同郷《どうきょう》だろう。仲良くやってくれ」と笑顔を見せた――。

「勝っちゃん」

清一は茫然となった。

「海江田少尉、宜しくお願いします」

田島勝彦は雑巾を床に当てて、走り去っていった。

3

昭和十二年(一九三七)二月二十五日午後八時――。

雪が降り始めている。

東京憲兵隊特高課《とっこうか》の課員倉友成蔵《くらともせいぞう》軍曹は頬に冷たいものを受け、コートの襟を立てた。風が強く、腕時計の文字盤に雪が降りかかった。ちょうど八時を指している。

今、倉友軍曹の右手には歩兵第一連隊、左手の細い道の奥には歩兵第三連隊の営門が見えている。歩兵第一連隊の門は閉じられ、門の営兵の姿も蜜柑色《みかんいろ》の照明の中にシルエットを残すのみだ。近衛歩兵第三連隊は歩兵第一連隊と背中合わせになっていて、その入口は反対の青山御所側である。憲兵隊司令部は遙か宮城の北側である。この距離を倉友は歩いてきたのだ。

兵舎の窓には明かりが連なっていて、倉友には家族の団欒《だんらん》のように見えた。

東京憲兵隊特高課長福本亀治《かめじ》少佐が歩兵第一連隊・歩兵第三連隊・近衛歩兵第三連隊の兵舎付近張り込みの指令を発したのは、二十五日午後一時のことだった。

それまでも栗原中尉宅などで青年将校たちがひそかに集まっているのは捕捉されていたが、その会合がふっつり消えたことが不穏なものを感じさせたからだ。会合は兵舎内に移されたものと踏んだのだ。

だが、この指令を受けた赤坂憲兵隊で動員された課員はわずかなもので、倉友もそのわずかなひとりだった。

通行人を装って、それとなく連隊の様子を窺うのだが、中で部隊が動きだしでもしないかぎり、塀の外からでは所詮、中の様子を知ることはできない。

雪のため通行人の数も減った。車はときおり走り抜けてはゆくものの、歩道を歩くものは少なく、あるいは傘を前向きに持ち、あるいは帽子のつばを引いて、コートの襟を立て、帰宅を急いでいるように見えた。

やがて人通りは絶えるだろう。そんな中でいつまでも張り込みを続けていては怪しまれてしまう。それに……なんといっても酷い寒さだ。身体の熱気が急速に奪われてゆくようだ。

今夜はかなりの積雪となるだろう。走り過ぎる車が電柱の陰の倉友に飛沫を投げかけた。倉友は悪態をついた。

倉友は上司の赤坂憲兵隊長が今回の張り込みに乗り気でないのを知っていた。連隊とのトラブルを恐れているのだ。

消灯ラッパが鳴り始めた。

午後九時である。

こんな雪の晩に、青年将校たちが決起行動を取るとは思えなかった。張り込みは今夜はおしまいだ。張り込みは明日からも続く。体力を蓄えねばならない。倉友軍曹は二十五歳、面影橋《おもかげばし》の下宿には半年前に結婚したばかりの妻が待っていた。

ラッパが鳴り終わり、兵舎の明かりが次々と消え始めたとき、倉友軍曹は青山方面に歩きだした。足が氷のようになり、膝の関節が強張《こわば》っていることに気づいた——。

4

通りに人は絶えた。歩兵第一連隊の街灯の下も白い雪が激しく舞い上がり、渦をなし、夜空に消えていった。兵舎の照明は大方消えていたが、その中にも点いているものがいくつかあった。

歩兵第一連隊第十一中隊長室では、磯部浅一・村中孝次が軍服に着替え、決起趣意書《けっきしゅいしょ》・陸相に対する要望書などをガリ版で刷り始めていた。

午後十時、栗原中尉が武装した部下を引き連れ、弾薬庫に向かった。

同じ頃、道を隔てた歩兵第三連隊では兵舎の明かりもいっせいに点灯され、安藤大尉の決起部隊が活動を始めた。安藤大尉はこの週の「夜の連隊長」だった。人望もある。その決起演説を待つまでもなく、第一中隊、第二中隊の一部、第三中隊、第七中隊、第十中隊、機関銃中隊、計七個中隊が参加することになった。

海江田少尉はこのとき、安藤大尉の手兵《てへい》から外れ、五人の男たちとともに、野中大尉の指揮する第三連隊の将校控室にいた。

男たちは軍曹の制服を身に着けていたが、軍人ではなかった。その正体は、北一輝と田島勝彦、そして北の書生である三人の若者だ。彼らの軍服は安藤大尉から支給されたものであった。扉が開いて、コートを着て武装を整えた野中大尉が部下の兵士たちとともに入ってきた。兵士たちは小銃、弾薬などを抱えている。

「これをお使いください」

と野中大尉が清一に言った。階級の下のものに敬語を使うのは、北一輝を慮《おもんぱか》ってのことであろう。

「牧野伸顕攻撃隊の七人の民間人にも銃を与え、河野大尉の支配下に入れました」

「お頼みしていたものを、持ってきていただけましたか」

北一輝が言った。

野中大尉は部下のひとりに顎をしゃくった。兵士が机の上に、ズックの袋から取り出した発煙筒《はつえんとう》、照明弾を置いた。

「決起まで時間がありません。海江田少尉、宜しく頼むぞ」

野中大尉は清一の手を取った。

「はい」

清一は思わず握り返した。

清一と北一輝たちは、野中隊に混じって出撃し、目標の警視庁に着いたなら、野中隊とは別に魔物のアジトを求めて行動を起こすことになっていた。安藤隊の攻撃目標は鈴木貫太郎元侍従長の私邸であり、清一や北たちの行動には不都合だった。そのため、清一は安藤大尉から野中大尉の指揮下に移るよう両者の了解を取りつけたのだった。

出撃は二十六日午前四時の予定である。出発までは、この部屋にいて、呼集《こしゅう》と同時に決起軍に加わる手筈《てはず》になっていた。

午前零時、日付が二十六日となったとき、歩兵第一連隊では黒塗りの乗用車が二台、栗原中尉たちに見送られて営門を出ていった。河野大尉指揮になる湯河原《ゆがわら》襲撃隊である。湯河原の料亭別館に泊まっている元老牧野伸顕を討つためである。目標への距離に応じ出撃時間は調整されていた。攻撃は午前五時にいっせいに行われることになっていたからだ。

午前二時から三時にかけ、歩兵第三連隊の兵舎でも、各中隊に非常呼集がかかった。兵士たちは前もって出動を聞かされていたから、その動きは速く、武装を終えて集結するのに、ものの十分とかからなかった。

午前三時半、安藤大尉が命令を発した。

「これより、靖国神社に参拝する！」

「前へ！」

野中隊の清原少尉の号令が営庭《えいてい》に響いた。銃を取る音、軍靴《ぐんか》の音が沸き起こった。

かくして、安藤大尉指揮下の歩兵第三連隊第六中隊と機関銃四個分隊が営門を出発した。その数は約二百名である。目指すは麹町《こうじまち》区三番にある鈴木貫太郎侍従長の私邸だった。

午前四時をもって残りの部隊がすべて営門を出た。

内大臣斎藤実襲撃の坂井隊、大蔵大臣高橋是清を襲う中橋隊、陸相官邸襲撃の香田隊、首相官邸を目指す栗原隊、そして、警視庁占拠の野中隊。海江田清一少尉と北の計十二名もこの野中隊について出撃した。

この時点において、軍刀は鞘から抜かれたのだった。

午前五時、野中大尉の指揮する歩兵第三連隊第三、第七、第十、機関銃隊の将兵五百二十名、重軽機関銃二十二銃(小銃・機関銃などは一銃、二銃と数える)および常盤《ときわ》・清原・鈴木・海江田の四名は、予定通り、警視庁前に到着した。

ただちに正面玄関はおろか建物の出入口という出入口に向かって機関銃が備えられ、小銃分隊が配置された。桜田門・虎の門・日比谷・三宅坂に向かう各要所に歩哨《ほしょう》が立てられた。

主力部隊は重機関銃二、軽機関銃八銃をもって特別警備隊屯所《とんしょ》に標的を合わせた。

そうしておいて、野中大尉は庁内で特別警備隊長岡崎英城《ひでき》に決起の趣旨を読み上げ、警視庁明け渡しと、警視総監堂本三郎への面会を強要した。

「なりませぬな」

岡崎特別警備隊長は、階段を降りたところで、隊員たちを従えながら、毅然として言い返した。

「警視総監殿は今夜は御不在です。それにわれわれは帝都の治安をあずかるもの。あなたがたが天皇の軍隊なら、われわれも天皇の警察です。銃剣を突きつけられて引き下がるわけにはまいりません。お引き取りください」

「昭和維新のためのやむを得ぬ事情。御協力いただきたい」

「できません」

「ならば、武力で制圧するまでのこと。よろしいか」

兵士は岡崎たちに銃口を向けた。撃鉄《げきてつ》を上げる音がいっせいに警視庁のホールに響き渡った。

特別警備隊長の顔は苦渋《くじゅう》に満ちた表情になった。

「やむをえませぬ。しかし、これだけは覚えておいてください。われわれは命が惜しくて戦わないのではありません。この警視庁はかしこくも天皇陛下のおわします皇居の目の前です。もしここで戦いになったら、流れ弾が皇居に向かって飛ぶことがあるやも知れません。そのような事態を避けるためだけなのです。もしもあなたがたが、それを計算に入れて攻撃を仕掛けてきたのなら、われわれはあなたがたを軽蔑《けいべつ》いたします」

「決してそのようなつもりはない」

野中大尉は顔を真っ赤にして言い返した。「目的が達せられたら、すぐ撤収《てっしゅう》する」

これだけの部隊に包囲されてはいかんともしがたい。岡崎は承諾する以外になかった。

野中大尉と海江田少尉、北一輝、勝彦たちは階段を駆け上がり、三階の警視総監室に突進した。

警視総監室は無人だった。

しかし、総監の椅子はまだ温かみを残している。総監の吸っていたものらしい煙草の煙が漂っていた。

「総監を探せ」

野中大尉が部下に命令を発した。「見つけ次第、撃ち殺すのだ」

兵士たちは散っていった。

「野中大尉」

と北一輝が小声で言った。「警視総監はぼくらに任せてくれんか」

「しかし」

「警視総監には魔物が取り憑《つ》いている。今ごろは魔物の巣に帰っているはずだ」

「分かりました。では海江田少尉、頼んだぞ」

野中大尉はそう言うと、兵士たちに呼集をかけ、次の作業に移っていった。海江田少尉たちは階下に降り、地下室へ向かった。

野中大尉配下の清原少尉は交換台を占拠、外部との連絡を絶った。早朝なので警視庁にいたのは夜勤の警官と特別警備隊の隊員たちだけだったので、占拠は容易だった。

野中大尉は余った兵力を内相の官邸に向かわせ、これも占拠した。

「いよいよだよ、海江田少尉」

そう呼びかけたのは北一輝だった。海江田たちは地下への階段を降り始めた――。

第五章　ダゴンの海

1

栗原中尉の指揮する歩兵第一連隊機関銃隊将兵二百六十五名、重機関銃十一銃および、林・対馬の二名は、午前五時に首相官邸に到着した。

栗原中尉は兵士数名に命じ、銃剣を擬《ぎ》して立番巡査を脅迫させた。その間に一個分隊をもって付近の警戒に当たらせ、残りの部隊を率いて邸内に乱入した。兵士たちはさらに表門および非常門の立番巡査をも脅迫監視して封じ込めた。巡査二名が隙を見て、常備の非常用拳銃を抜いて発砲した。兵士たちは襲いかかり、拳銃で撃ち、銃剣で突き刺した。

洋館玄関に侵入するため窓ガラスを銃把《じゅうは》で叩き割ろうとしたが、うまくいかなかった。そのため二個分隊をそこに残し、他の分隊を率いて洋館の横を通り、日本間玄関に行き、わきの窓ガラスを破壊し、建物内に侵入した。

「首相を捜せ」

栗原中尉は対馬少尉に命じて、自らも館内を捜し始めた。

だが、なかなか見つからない。

一方、林少尉は一個分隊を率いて官邸の外を迂回《うかい》して裏門から侵入、その分隊を日本間南側の池の付近に残して、自らは栗原中尉と合流して、首相捜索にあたった。

銃声がした。裏門の巡査が逃亡をはかって射殺されたのだ。

首相捜索隊が洗面所に到ったとき、護衛の巡査部長が拳銃を向けてきた。

林少尉は軍刀の柄に手をかけ走り寄った。

巡査部長の銃弾は林を大きく逸《そ》れ、天井に当たった。

林少尉の軍刀が鞘走り、巡査部長を肩から斬り下げた。

その途端、背後から羽交《はが》い締めにあった。若い巡査だった。

「放せ、抵抗するな」

林は叫んだが巡査の力は緩まない。林は、前かがみに体を落として、相手を壁に投げつけた。

巡査は起き上がり、なおも抵抗する態度をみせた。林は一刀のもとにこれを斬り殺した——。

そのとき、中庭に降りしきる雪の中を人影がよぎった。

「止まれ」

と林中尉が声をかけた。それでも相手はさらに物陰に隠れようとする。幻でない証拠には雪の中に足跡が深々とついていた。

「撃て！」

兵士たちの銃火が人影に集中した。人影はばったり倒れた。

栗原中尉たちは男の身体を取り巻いた。

どてらの背中にいくつも弾着《だんちゃく》の穴が開いている。首からは血がどくどくと吹き出て、それがみるみる雪を赤く染めていった。どてらの下は寝巻であり、らくだのズボン下をはいたままだったが、裸足だった。あわてて逃げようとしたのだろう。あおむけにすると、微《かす》かに息があった。

頭の毛は薄くかなりの老齢だった。「首相だ」「やったぞ」という兵士たちの声が栗原中尉の背後でした。

栗原中尉はポケットから首相の顔写真を取り出し、男の顔にかざしてみた。よく似ている。

男がうっすらと目を開けた。

「あなたは岡田閣下ですか」

栗原中尉は問いかけた。喉はからからになっている。

男の目に光がやどった。大きくうなずき、その弾みにひときわ大きく頸動脈《けいどうみゃく》から血を流し、息絶えた。男の背後の赤い染みはなおも広がりを見せていた。

栗原中尉が直立して敬礼した。兵士たちもそれに倣《なら》った。

魔物を一匹やっつけた、と栗原中尉は思った。

五時三十分、丹生《にう》中尉の指揮する歩兵第一連隊第十一中隊、機関銃隊の将兵百九十二名、重軽機関銃六銃、さらに香田・村中孝次・磯部浅一・竹島・山本の五名が陸相官邸に到着した。

丹生中尉はただちに正門前に重機関銃二、軽機関銃一、また陸軍省裏門・北門・正門、ならびに参謀本部正面に重軽機関銃各一を配置し、歩哨《ほしょう》を立てて、特定の者以外の出入りを禁止した。

さらに陸相官邸電話室および陸軍省通信室を襲撃、外部との連絡を阻止した。

竹島中尉は主力を率いて官邸表門付近を警戒し、かくて陸相官邸は完全に制圧された。

内大臣斎藤実の私邸には坂井中尉の指揮する歩兵第一連隊第一・第二中隊・機関銃隊の将兵二百十名、重機関銃十二銃、および高田・安田の二名が到着した。

麦屋《むぎや》少尉および渡辺清作曹長はかねての計画通り、重機関銃および小銃分隊をもって同邸宅周囲の路上を警戒にあたった。

そうしておいて坂井中尉は、高橋少尉・安田少尉とともに、表門から邸内に突入した。

抵抗しようとした警官たちを包囲威嚇《いかく》して降伏させた。

坂井中尉は下士官兵数名を率いて裏手に回り、軽機関銃をもって女中部屋の雨戸を射撃して破壊した。弾けるような音が邸内に響き渡った。

坂井中尉たちは家の中に乱入した。

「あなたたちはなにものです」

斎藤実の妻が遮った。

「見るところ、帝国陸軍の軍人ではありませんか、恥ずかしくないのですか」

「われわれは昭和維新を決行しているのです。斎藤閣下はいずれにおられますか」

坂井中尉が訊いた。

「夫はやすんでいます」

妻の視線は、つい二階に走った。

「案内してください」

妻は兵士たちを遮ろうとして、かえって案内する形になってしまった。

寝室の唐紙《からかみ》を開けると、斎藤実は布団から起き上がり、こちらに向かってくるところだった。

安田が拳銃を続けざまに発砲した。

斎藤実はのけぞって倒れる。そこへ兵士たちが拳銃・軽機関銃をもって射撃。斎藤は絶命した。妻が取りすがった。坂井中尉が敬礼し、兵士たちもそれに倣った。

内大臣斎藤実を倒すと、高橋少尉と安田少尉は下士官兵約三十名を率い、軽機関銃二銃を携行《けいこう》し、かねて用意してあった軍用自動車に分乗し、杉並区上荻窪《かみおぎくぼ》の教育総監渡辺錠太郎私邸に向かった。

高橋・安田隊は到着するや、軽機関銃一分隊を表門の警戒につけ、残りのものは玄関に軽機関銃を乱射して突入した。

ところが内側に固い樫《かし》の扉があった。おいそれとは破れそうにない。

手間取っているところを二階の窓から狙撃され、安田少尉は右下腿部《かたいぶ》に一弾を負った。さらに下士官兵の数人が負傷した。

「あの窓だ」

高橋少尉が二階の窓目がけて軽機関銃を撃ち込ませた。

男がのけぞるのが見えた。護衛の憲兵だった。

安田少尉は脚の怪我にめげず指揮をとり、裏口に回った。そのまま茶の間に上がり込んだ。

隣室の唐紙を開けた途端、中から狙撃された。弾丸は安田少尉の軍刀に当たり、跳ね返って安田の肘をかすめた。安田は縁側にぶざまに転倒した。

寝室内に拳銃を構えた教育総監渡辺錠太郎がいた。布団を重ね、それを楯にしているのだった。さすが軍人であった。

軽機関銃が斉射《せいしゃ》され、教育総監は布団の綿の舞い上がる中で昏倒《こんとう》した。

高橋少尉・安田少尉も拳銃弾を撃ち込んだ。高橋少尉は軍刀を振りかぶり、相手の首を斬り落とした――。

魔物をまたひとり討ち取った。

2

安藤大尉の指揮する歩兵第三連隊第六中隊の将兵約二百名、重機関銃九銃は四時五十分に麹町《こうじまち》区三番町の侍従長鈴木貫太郎大将私邸付近に到着した。

各小隊長および分隊長を集め襲撃部署を定めた上、同邸表門・裏門付近の路上に各機関銃二銃を配置し付近の警戒にあたらせた。

第一小隊は表門から、第二小隊は裏門から突入した。安藤大尉は自ら下士官兵二十五名を率いて屋内に入った。

鈴木侍従長は奥の八畳の間にいて、布団の上に端座《たんざ》し、安藤大尉たちを迎えた。妻が夫をかばおうとするのを下士官兵が羽交い締めにして引き離した。

「撃て」

と安藤は命令した。

下士官二名の拳銃が弾けるような音を立て、鈴木貫太郎の胸に命中した。鈴木はのけぞって倒れた。

「人でなし、恥を知りなさい！」

気丈《きじょう》な妻君はきっと安藤大尉たちを睨みつけた。

安藤大尉はとどめを刺そうと、軍刀の切っ先を侍従長の首筋にあてがった。

「お願いです。とどめは刺さないでください。どうせ長くはないのですから」

と妻が止めた。安藤大尉の胸にふと悲しみが走った。

安藤大尉は軍刀を鞘に戻し、目を閉じて横たわる侍従長に向かって敬礼した。

下士官兵たちもそれまでの非礼が嘘のように、敬礼した。


大蔵大臣高橋是清私邸の攻撃は、中橋基明中尉指揮の歩兵第三連隊第七中隊将兵五十九名、軽機関銃四銃、および中島少尉らによって決行されたが、最初の動きは、当日中橋中尉は宮城守衛控将校として服務することになっていたから、少し複雑だった。

あらかじめ決起部隊を、宮城守衛控兵小隊六十二名と突入小隊五十七名の二隊に分けて、それが合流する形をとらざるを得なかったのだ。

宮城守衛控兵には控兵の服装をさせ、これの指揮を今泉少尉に任せておき、一方、中橋中尉の突入小隊は武装し、さらにそれを小銃隊と軽機関銃隊に分け、明治神宮に参拝すると称して、歩兵第三連隊を出発した。

中橋中尉は途中薬研坂《やげんざか》で、突撃小隊小銃隊に実包《じっぽう》を分配して装填《そうてん》させ、『これから国賊《こくぞく》高橋是清を討つ』と部下たちに宣言した。

宮城守衛控小隊は赤坂表町、シャム公使館付近の路上に警備のため残し、突入部隊のみが高橋邸に向かって前進した。

高橋是清邸に到るや、ただちに邸前の電車路線の東西に軽機関銃を据え、憲兵および警察官の来襲に備えた。

表門の守衛巡査を包囲してこれを拘束した。

中橋隊は内玄関の扉を破って、屋内に闖入《ちんにゅう》した。

大蔵大臣高橋是清は二階十畳の間に就寝していた。

中橋中尉は布団を剥ぎ取った。

「天誅《てんちゅう》！」

一声叫んで、中橋中尉は拳銃を乱射した。中島少尉が軍刀を振りかぶり、蔵相に数度斬りつけ、絶命させた。

魔物に乗り移られた人間がまた一人、消えた。

前内大臣牧野伸顕の襲撃にあたった河野寿大尉指揮の現役下士官二名、在郷軍人四名、民間人一名、軽機関銃二銃からなる攻撃隊が湯河原に着いたのは午前五時近くだった。

目標の伊藤旅館別館から二百メートルばかり離れた地点で車を降りた。別館の周囲に軽機関銃を据《す》え四名を残し、河野大尉は一名を率いて、勝手口から、また他の二名は玄関から入り込んだ。

伯爵の寝ている部屋はあらかじめ調べてあった。河野大尉は廊下を進んでいった。

突然、眼前に護衛の巡査が飛び出してきて、河野に向かって発砲した。

河野は脇腹を殴りつけられたような衝撃を覚えて片膝をついた。かろうじて撃ち返し、相手を射殺した。

だが、みるみる自分の身体から力が抜け出てゆくのを覚えた。

もはや、伯爵の部屋にたどりつくことはできなかった。河野は縁側から降り、勝手口から転がり出た。

河野大尉は痛みを堪《こら》えながら、仲間に命令した。意識が遠のいてゆく。

旅館に向かって拳銃や軽機関銃が撃ち込まれた。

その間に玄関に炭俵《すみだわら》を積み上げ、火を放った。

建物が炎上するのを、河野大尉は遠ざかってゆく意識の中で見守った。

旅館からは従業員たちや泊まり客が逃げ出してくる。その中に牧野伸顕らしき姿はない。牧野は焼け死んだのだ——河野の顔に笑みが浮かんだ。

3

「感じるぞ、魔物の息吹を」

階段を降りながら、北一輝が言った。

扉を開けると、階段の下に廊下が、そしてその右側に鉄格子が見えた。

清一が北と勝彦とともに鉄格子の前に行って中を覗き込んだ。

「誰もいませんね」

と勝彦が言った。

「いや、魔物がいた。たしかにその気配が残っておる」

「では」

と清一が拳銃に手をかけた。

「この下だ。ぼくには水音が聞こえる」

「ボイラー室になっていますが」

「そこか、あるいはもっと下か――」

清一たちはボイラー室に降りた。

低い天井には何のものとも知れないパイプが無数に走っている。ボイラーの熱気で汗が吹き出すほどの暑さだ。

「もっと下だ。遙か下方に邪気が渦巻いておる」

と北一輝が言った。「まだ階下に続く階段があるはずだ」

「しかし、警視庁の図面にはもう部屋は見当たりませんが」

清一が地図を見ながら言った。

「いや、間違いはない。ぼくは感じるのだ」

それから清一たちは部屋の隅々を探り始めた。

そのうちに神棚が見つかった。コンクリートを打ち放しの荒れた壁面に、木製の神棚が、いかにも場違いに祭られている。ボイラー室で働くものたちが毎朝無事を祈るためのものだった。その大きさは人の背丈ほどもあった。

「この奥だ」

北一輝が言った。

勝彦と男たちが祭壇に手をかけて、力を入れたが、動かない。

手を放した勝彦が呻き声をあげた。その手にはべっとりと緑色の粘液がついている。魚の腐ったような異臭が鼻をついた。勝彦は必死で手を壁にこすりつけた。

「やはり魔物はこの奥に巣喰っている。この臭いと粘液が何よりの証拠だ」

北は『天照大御神』と記された祭壇正面の札に手をかけた。

札の部分は金属製で、ぺこりと凹《へこ》んだ。同時に回転音がして、祭壇自体が右側を軸として開き始めた。あとにぽっかりと空間が現出した。

生臭い臭気がどっと吹き出した。階段が下へ伸びている。

「これは」

清一は覗き込んで、息をのんだ。

「非常用のトンネルだ」

北一輝が目を輝かせた。

「警視庁が暴徒に襲われた場合、逃げるためのものでしょうか」

「それもあるが、むしろ反対の場合が多いのではないかな」

「どういうことですか」

「たとえば首相官邸、たとえば国会議事堂。そちらの方から非常時に警視庁に逃げ込むためのものだろう」

清一が足を踏み入れた。

あのときと同じだ、と清一は思った。九頭龍川の地底で入り込んだ忌まわしい世界をふたたび目《ま》の当たりにするのだろうか。

階段の壁面には非常灯が点灯していて、おぼろに筒状の壁面を照らしていた。

清一が懐中電灯を取り出し、前方を照射した。

はるか百メートルほど先に扉が見えている。

一同は清一が先に立って、進んでいった。

臭気は強まった。いつのまにか足元を霧が流れている。

扉が遠ざかってゆく――と見えたのは錯覚で、次第に暗く陰りだした。

清一の懐中電灯の光は走っているのだが、途中で闇に呑《の》まれてしまっている。

怪異現象が始まったのだ。北一輝は両手に数珠をからめ、男たちは小銃を構えた。

アッと一声あって、男の一人が左側に引き込まれた。止めようとした男もつられて動いた。たちまちにして二人が消えてしまった。

壁の一角が崩れていて、そこから霧が吹き出している。男たちはそこに呑み込まれたのだった。

「照明弾を」

と北が勝彦を促した。勝彦が割れ目に向け、照明弾を撃ち込んだ。

シュッと鈍い音があって、光は弧を描き、巨大な空間を照らしだした。

霧がさながら銀河のように渦を巻き、無限に広がっているように見えた。

その中に落ち込んでゆく二人の男の姿が見えた。霧の渦が貪欲な触手のように二人に纏《まと》わりつき呑み込んでゆく。もはや助けようとてなかった。

「いつのまに、こんな」

清一は北一輝を見た。

「魔物はここ警視庁の地下に集結した。桜田門にアジトを作って、宮城のお堀の水を侵そうとしているのだ。

この霧の下には邪神の〝海〟があるのだ。かぎりなく広い無限の地獄が」

北の声は呻きのようだ。

霧は渦巻き、腐臭を撒《ま》き散らす。

霧自体が青白く発光して点滅している。

北一輝が両手を合わせて題目を唱え始めた。

「南無妙法蓮華経《なむみょうほうれんげきょう》　南無妙法蓮華経　南無妙法蓮華経――」

呪文が霧の空間にこだまする。

無数の稲光が周囲の壁から発して、渦を射抜いた。稲光の刺し貫いた部分の霧がさわぎ、下から水面が顔を出した。

渦巻きに乱れが生じた。

霧がまるで触手のようにあちこちに伸び上がり、空間をのたうった。

北一輝の唱題《しょうだい》が続く。水面の光が失せてゆく。

いきなり、一同の不意を突くかのように、霧の大波が割れ目に向かって押し寄せた。その先端が幾条《いくすじ》にも分かれ、蛇を思わせる動きで清一にからみついた。

「危ない」という北の言葉を聞いたように思う。その言葉はこだまのように遠ざかった。

清一は水中に転落した。

必死で水面に浮き上がろうとする。

温かな水だ。生臭い臭気に満ちた粘液性の水であった。

鼻から、喉から、水が入り込んだ。息ができない。

清一の意識もまた遠のいてゆく——。


気がつくと、清一は海を漂っていた。

頭上を黒雲が一面に覆っていた。よく見ると雲はゆっくりと渦を巻いている。

水は温かくも冷たくもない。海面を霧が流れ、それが遙か彼方まで続いていて、雲につながっている。水平線は存在しなかった。

声をあげて北一輝を呼ぼうとしたが、あの壁の割れ目がどこだったのか、分からないのであきらめた。

静かであった。波音も聞こえない。

と、静けさを割って何か鈍い音が聞こえてきた。次第に大きくなる。

霧を割って赤い円形のマークが現われた。丸い大きな眼がふたつ。魚の顔を正面から図案化したものだ。唇は分厚く、鼻の穴がふたつの点になっている。

ダゴン教団のマークである。マークは揺らぎながら接近してくる。

霧を割って、大きな帆船《はんせん》がゆっくりと現われた。

その赤い帆の最上段にマークは描かれていたのだ。三本マストのスクーナーである。二本の煙突からは黒煙を上げている。その煙が黒雲のもとなのかと、漠然と思った。

清一は逃げようとした。

帆船が、清一に気づいたのか、舳先《へさき》をこちらに向けた。

甲板《かんぱん》に人影が鈴なりになっている。近づいたので人々の姿がもっとはっきり見えた。

額がなく、ぎょろりと大きな両目が飛び出している。首には鰓があった。

これがインスマス面なのかと清一は思った。魚妖たちはてんでに首を突き出し、猫背になって海面をうかがっているのだった。

よく見ると帆桁《ほげた》にも魚妖たちが座って、まるで水遊びでもするように両足をぶらぶらさせながら、見下ろしている。

舳先が波を蹴立《けた》ててこちらに向かってくる。見つかったのだ。

突然雲間から稲妻が走り、帆柱に当たった。白煙が上がる。

途端に魚妖たちがいっせいに海面にダイビングした。

海面を泳いでこちらに近づいてくる。

清一は逃げなければと思った。だが、このままでは所詮彼らに追いつかれてしまう。

清一は思いきって、潜った。そうして姿を消そうと考えたのだ。とはいえ、相手は魚妖。生半可《なまはんか》では見つかるのは必定《ひつじょう》である。

それにはいっそう深く潜ることだ。彼らの想像を超えた深みに沈んでしまえば、あきらめるかも知れない。

4

光は水面近くに去り、視界は暗くなってゆく。

追ってくる気配はなかった。

暗黒の水の中を清一は降下していった。

不思議なことに息は苦しくはない。もう自分は死んでいるのだと思った。

完全な闇。ここは清一の墓場なのだ。

沈んでゆく。底知れぬ闇の中を——。

果てのない下降が無限に続くかと思えたとき、眼下に青白い光が見えてきた。

次第に明るくなってゆく。

何かが清一の視界をよぎった。見たことのない魚の群れが通過してゆくではないか。

その群れの動きに乱れが出た。必死で何かから逃れようとしているのだ。後方から巨大な魚が迫っている。

鮫《さめ》にしては口が大きすぎた。鰭《ひれ》も、流線型の胴体も、鰐《わに》の甲殻《こうかく》のようだ。原始の海を生きていたという魚龍《ぎょりゅう》だろうか。

魚龍は魚の群れを追っていたが、清一に気づいて方向を変えた。ゆっくりとターンして、清一に近づいてくる。

黒い凶暴な目が清一を捉えている。そいつの尾の動きは強靭《きょうじん》なバネを思わせる。

魚龍が口を開き、鋭く乱立する歯が見えた。水が深いためか、すべては灰色の世界になってしまっている。

清一は軍刀を抜き、突っ込んでくる魚龍に平行する姿勢で対した。

魚龍はほとんど鰓《えら》のあたりまで開いた口で、軍刀の切っ先に噛みついてきた。

清一は力まかせに刃を押し込んだ。どろりと黒いものが魚龍の口から溢れ出した。魚龍は尾を撥ね上げ、清一の胴体を薙《な》いだ。

軍刀は魚龍の口から抜けた。それを手にしたまま、清一はふたたび沈んでいった。

重い唸り声のようなものが地響きのように水を震わせている。

水の底に山の連なりのようなものが見えてきた。

広大な海底の山脈である。

見渡すかぎり山また山。それも峨々《がが》たる岩山ばかりだ。その果ては際限なく、闇に消えていた。

清一はぐんぐん降下してゆく。

岩山が迫るにつれ、ふと四角いものが清一の視界をかすめた。丸いものもそれに混じって見えた。どうやら人工の建造物であることが知れた。

水底の山々の重なった盆地のようなところに、石造りの建物の群れが現われた。

5

古代の街並らしい。

中央に円形の広場があり、放射状に石畳の道が走り、建物が無数に存在した。建物にはいずれも窓がない。戸口だけが黒い口を開けている。道の一本の突き当たりに神殿らしい列柱を備えた大きな建物があった。

海底に沈んだ古代都市アトランティスの話は、清一も『少年倶楽部』で読んだことがあった。しかし、なぜか清一には、今眼下に見えてきた石の都は、もっともっと古いものであるような気がした。そう、まるで人類が生まれるよりもずっと昔の。そのくせ、どこかしら懐かしい雰囲気に満ちている。

人気《ひとけ》がまるで感じられない。ぼくはようやく生まれ故郷に還ったのだ。ここがぼくの永遠に生きる場所——墓所なのだ。

清一は広場の中央に降下していった。足が石畳に触れたとき、一方からぼんやりと灯明《とうみょう》のような明かりが近づいてくるのに気づいた。

同時に低い唸りのようなものが伝わってきた。

神殿に明かりが灯っている。重い唸り声はそこから聞こえてくる。清一は神殿に引き寄せられていった。

近づくにつれ、生物が声を併せて祈りを上げているのが知れた。神殿の破風《はふ》には、かろうじて海棲《かいせい》動物とだけ知れる怪異な紋章があった。蛸を思わせる頭部から無数の触手が伸び出して宙を掻《か》いているのである。

青銅の扉が両側に開いている。

清一は磨き上げられた大理石の広い階段を上がっていった。

扉の中に入り込んだ。

正面にひざまずく人影があった。後ろ姿である。フードつきのマントを纏っていたが、フードは上げられていて、長い白髪の後頭部が見えている。

清一は背後に近づいてゆく。

男が振り向いた。

清一は愕然《がくぜん》とした。

「待っていたよ、清一」

それは海江田阿礼——清一の父だった。

その頃、警視庁地下の壁の割れ目の前では北一輝が、正座して、祈りを唱えていた。

南無妙法蓮華経。

生き残った二人の書生も並んで神に祈っていた。勝彦だけが三人から離れ、壁に寄りかかっていた。油汗《あぶらあせ》をかき、顔面が苦しみに歪んでいる。

「清ちゃん」

と勝彦は呟いた。

北一輝がかっと眼を見開き、右手を、裂け目の向こうにわだかまる霧の海に向かって指し示した。空間に稲妻が走り、轟音《ごうおん》が続いた。

稲妻は次々と霧の海に降りかかっていった——。


清一は眼を疑った。九頭龍川で魔物に腸《はらわた》を食われた父は、村の墓地に埋められたはずだった。では、目の前にいるのは亡霊か。

「父さん、どうして、こんなところに」

と清一は問うた。

「ここはわが家」

と阿礼は応えた。「ダゴンに仕えるはわが命。おまえも仲間に入るがよい。さあ、父とともに、神を祭るのだ。永遠の命を与えてくれる、われらが神――」

阿礼は両手を差し伸べ、清一に歩み寄った。

阿礼の背後の祭壇が明るくなった。巨大な神像がシルエットで浮かび上がった。

振り返ると、礼拝しているものたちの蠢《うごめ》く姿も闇の中からかいま見えた。

「いやだ、父さんは騙されている」

「清一、清一」

父の姿がゆらゆらと揺らぎだした。揺れながら膨らんだり、細くなったりした。

そのうち、とても立ってはいられないとでもいうように、うずくまり、球体になった。球体は回転を始めた。

ふたたび人型をとる。丸みを帯びている。

女が、ゆらゆらと立ち上がった。

白い肌がやけに浮き出して見える。

「清一」

死んだ母の静子だった。

長く美しかった黒髪は、藻のように頭部から沸き立っている。毛の一本一本の先端が触手のように蠢いた。

それぞれの先端にいやらしい形をした頭部があり、眼がついている。その眼は青白く光っていた。

「清一」

母の口は耳まで裂けた。「わたしが抱いてあげましょうほどに」

口から舌を出しながら、清一に近づいてくる。

しゅるしゅると聞こえるのは舌嘗《な》めずりの音か。

神像のシルエットが蠢いている。

清一は軍刀を構え、母の顔をした怪物の胸を刺し貫いた。

怪物はのけぞって凄まじい叫びを上げ、軍刀の柄を両手で掴んで引き抜こうとした。怪物が身体をひねったので、清一の手から軍刀はもぎはなされた。


清一は神殿の出口に向かって走った。礼拝の人々の目は黄色く発光している。清一を捕えようと襲いかかってきた。インスマスの住民と同じである。狭い額、飛び出した目、分厚い唇、肩にめりこんだ首。長い両手を床につきながら、猿のように襲いかかる。

清一は人々を突き放し、神殿の外に出た。

追っ手も飛び出してくる。神殿の屋根にいきなり、頭上から稲光が降りかかり、列柱の一本が崩れ落ちた。

さらに一条の光が闇を貫いて降りかかり、清一の前に射し入った。人々がひるむうちに、清一は光線の中に飛び込んだ。身体が吸い上げられてゆく。

6

神殿の裏手から、黒い魔物がゆらゆらと現われ出るのが、眼下に見えた。神像が動いたのだ。

その姿をなんと譬《たと》えればよいのだろう。

遠くから見るとてつもなく巨大な鯰《なまず》に似ていた。頭部が異様に大きい。鰓《えら》のあたりから翼のようなものが出ているが、いささか太すぎる。翼になりかかって退化してしまったものだろうか。潜水艦の水平翼のようでもある。下半身はまさに魚であった。接近するにつれ、鱗だらけの胴体が明らかになった。頭部だけはのっぺりと白くなっていて、小さな目が邪悪な光を発している。それよりかなり下に小ぶりな口が開いていて、鋭い歯がのぞいていた。

魔物はみるみる清一を追い抜き、頭上で停止した。頭上に黒雲がかかったようだ。

魔物が頭を回転させた。最初ぶるぶると振ったようだったが、やがてくるくると体を回転させ、ぴたりと止まった。

その回転によって引き起こされたものか、眼下では古代都市に変化が生じた――。

山の端々、建物の隅々、床の敷石の間という間から、黒いものが湧き出した。それらが渦巻をなし、みるみる、清一を取り巻くように速度を速めた。渦巻は銀色に変化し、怪物を中心にして拡大してゆく。

怪物の前を、塵《ちり》のようなものが漂っている。塵と見えたのは、先刻清一を襲ったあの魚龍であった。それほど魔物の体は巨大だったのだ。

これがダゴンか、と清一は思った。インスマスの人々が崇めているという邪神である。

渦の向こうに何か建物が浮かび上がった。

白壁の建物が石垣の上に立っている。石垣の手前に弧を描いた橋がかかっている。街灯がおぼろに点灯している。

宮城であった。

清一は自分の身の危機を忘れて、その場面に見入った。

今やダゴンの企みが確認された。

この渦は今、警視庁の地下にある。ダゴンはそこから宮城のお堀の水を侵そうとしているのだ。それこそが、北一輝の見破ったものだったのだ。

ダゴンが大きな山のように清一に迫ってきた。

北一輝は祈りを続けていた。

霧の海を縦横に走る稲光はまばゆいばかりだ。

不意に霧の渦巻が一段と激しくなった。稲妻も次々と吸い込まれてしまう。

渦巻の中心に黒い巨大なものが浮かび上がった。二つの赤く輝く眼。それが瞬いたと思うと、北の身体は弾かれたように、倒れた。

二度、三度、起き上がろうとして、倒れた。

北は倒れたまま、両手で印《いん》を結んだ。ふたりの書生も勝彦も壁に叩きつけられた。

黒い魔物が動くにつれ、霧が湧き立ち、波立った。

そのとき、黒雲の中に何か輝くものが現われ出た。

輝く龍であった。それも何匹も。そして彼らの上空にはひときわ輝く巨龍の姿があった。

龍たちの口からいっせいに稲妻が迸《ほとばし》る。黒い魔物が足掻き始めた。


清一は逃げた。邪神がぐいぐい接近してくる。

清一は観念した。そのとき、ひときわ激しい稲光がはるか頭上から射し入り、邪神の頭部を直撃した。

邪神の巨体が痙攣《けいれん》し、渦に乱れが生じた。

「早く、上がってくるのだ」という北一輝の声を清一は聞いた。

清一は水を蹴った。だが力が失《う》せかけている。

その手が誰かに掴まれた。グイグイと上に引かれてゆく――。

7

気がつくと、北一輝が清一の顔を覗き込んでいた。

清一は起き上がった。地下の廊下であった。壁の崩れたところからは泡立つ水面が見えていた。

「わたしは、一体――」

「きみは水に落ちた。田島くんが飛び込んで助けてくれたのだ。ぼくは大神に祈りを捧げ、ダゴン退散を願ったのだ」

北一輝の背後にずぶぬれの勝彦が立っていた。

「勝っちゃん、ありがとう」

「…………」

返事がない。清一は勝彦を見て愕然とした。

勝彦の髪は大きく後退し、目は瞼《まぶた》をなくしたように剥き出しになっている。唇は腫れあがらんばかりだ。身体は一方にかしいでいる。

「きみは――」

インスマスの魚妖と化した勝彦が両手を突き出し、北一輝の首を締めようとした。

北一輝が清一の顔色に気づいた。北は振り返りざま、仕込杖を抜き、一刀のもとに勝彦の首を断ち斬った。

首は泡立つ水の中に落ちた。胴体はなおもゆらゆらと立ちつくしている。

首無し死体は、そこで茫然としていた北の書生ふたりを抱え込み、そのまま道連れにして水中に消えていった。

清一はあわてて後を追おうとした。

「無駄だ。かわいそうだが助からない」

北一輝は両手を合わせ南無妙法蓮華経を唱えた。

清一の胸に熱いものが込み上げてきた。

「勝っちゃん」

と清一は呻いた。幼なじみの友、はるか福井から自分を慕ってきてくれた友が魔物に乗り移られていたのだ。

「勝彦がわたしを助けてくれたとおっしゃいましたね」

「その通りだよ」

「それがどうして――」

あとは言葉にならない。

北の顔が悲しげなものになった。

「洞窟に踏み込んでから、彼は様子がおかしかった。おそらく心身を苛《さいな》む魚妖変身の誘惑と戦っていたのだろう。しかし、きみが溺れるというので、夢中で飛び込んだ。深い水底にまで行って大の男を救い出してくるなど並の人間にできることではない。彼は魚妖に変じることで、きみを救ったのだよ」

「では勝彦は死ぬつもりで、先生に掴みかかったのですね」

北はうなずくと、両手を合わせ合掌した。

「成仏してもらいたい一心で首を撥ねた」

清一は胸が冷たいものでいっぱいになった。それを懸命に振り払う。友の無惨な死を悼《いた》むのはあとまわしだ。

「決起は……他の部隊はうまくいったのでしょうか」

「まだ、分からん」

北は言って、懐中時計を取り出した。

「今、何時なのですか」

「五時三十分になる」

清一は絶句した。「まさか、いくらなんでも――」

決起部隊が警視庁に突入したのは午前五時だった。占拠が成功し、清一たちが地階に下りて、地下のトンネルに入ったのが二十分頃だ。

清一は割れ目から水に落ちた。魔界を遍歴《へんれき》して戻ったときまで、瞬時しかかからなかったというのか。

「実際にきみが水に沈んでいたのは一分とかかってはいない。そりゃそうだろう、それ以上かかっていたら、溺れ死んでいるよ。もっとも、ぼくは渦巻の底に何があり、何が起こっているのか分かっておった。だから、ぼくは大和《やまと》の国をしろしめす神々に祈って、魔物を退散させようとした。それも及ばなかった。邪神はいっそう強大になって襲いかかってきた。もはや最期かと思ったとき、助けてくれたものがある。

ぼくはとんでもない思い違いをしていたようだ。箱根神社、戸隠神社、白髭神社、いずれもそこに祭られていた龍神はわれわれの敵ではなかった。神国を汚す邪神に抵抗するため、その社《やしろ》を抜け出していたのだ。龍神は力を合わせて、ぼくたちを助けてくれたのだ。ぼくは大和の龍神に詫《わ》びねばならない」

北一輝は眼を閉じ、合掌した。

「ともあれ、ぼくたちの目的は達せられたのだ。まだ気の抜けたような顔をしているな。魔界の様子は後ほど聞かせてもらおう」

地底の水はもはや渦をなしてはおらず、霧を上げてもいなかった。それに壁面も見えている。

「魔物は皇居のお堀の水と合流しようとして失敗した。この水はまもなく引いてしまう。きみには海と見えたろうが、実際はわずかな水たまりにすぎない」

「分かりました。これから上に行って野中大尉に会います」

「ぼくは、残念ながら、警視庁の中にはいられない。ドイツ大使館の裏手に西田くんが車で迎えに来てくれているはずだ」

清一たちは書生の残した拳銃と軍刀を手にして、地下トンネルを直進した。扉を開けると、そこからは上りの階段が続いていた。懐中電灯で照らしながら上がっていくと、正面に扉があった。

押し開けると上り斜面になっていて、さらに鉄製の錆《さ》びた扉があった。

鍵はかかっていない。中央にハンドルがついている。矢印通りに回すと戸が開いて隙間から雪が吹き込んできた。枯れ草がしなだれ込んできた。

その向こうに鉄条網があり、新しくできた段階式の国会議事堂の建物が聳《そび》え立っていた――。

清一は洞窟を出た。途端にぎくりとして立ち止まった。手は反射的に軍刀の柄にかかっていた。

男が立っている。背後で雪が激しく渦を巻いている。風に掻き立てられた雪が吹き上げられて中空に飛散した。

8

男の肩で何かが光った。警視総監の肩章だった。

警視総監堂本三郎。

清一は軍刀を抜いて構えた。北一輝も仕込杖を半身に構える。

男の両眼が赤く点滅しはじめた。

男の背後で渦巻く雪が不思議な動きを見せ始めた。男が両手を上げると、雪はするすると回転しながら、いくつかの細い蛇のような紐をつくり出した。うねうねとうねりながら、先端はどんどん細く鋭くなった。

その先端が一度に清一を狙って突きかかってきた。

清一は軍刀で左右に斬り払ったが、一本が左腕をかすめた。

痛みが身体中を走り抜けた。雪の筈は蛸の足のようにのたうち、再度、清一に襲いかかってくる。清一は刀を振り回したが雪はまといつくばかりだ。清一は足を払われたように転倒した。起き上がり、堂本めがけて突進した。

堂本三郎の身体がどんどん後ろに引いてゆく。逃げ水のように一定の間隔が開いたまま、杳《よう》として狭《せば》まる気配はない。そのうちに雪の笞が清一の首にからみついた。清一は雪の中に首根っ子を押さえられて足掻《あが》くこととなった。その目が北一輝を捉えた。

北は雪の中に正座して祈っていた。その姿は皇居の方角を向いている。

南無妙法蓮華経の声が雪空に呑み込まれてゆく。北の身体に襲いかかる雪の笞は、散りぢりになり、雪の粉となって飛散してゆく。一方、堂本の背後で渦巻いていた雪は次第にその大きさを増し、ひとつの姿を形作っていった。

はるか上部には赤いふたつの目があった。眼の両側からむくむくと盛り上がった雪の噴水は翼に似ている。そいつは今まさに翼を動かして舞い上がろうとしているのだ。

腹部に見えるものが何なのか気づいて、清一は愕然とした。新しくできた国会議事堂である。ほんのひとにぎりほどの大きさにしか見えない——。それほどに雪の形作ったものは巨大な魔物だった。そう、魔物は地下から出て、ここで清一たちを待ち受けていたのだ。

清一の首を捉えた雪の笞は魔物の胸のあたりから何本も繰り出されている。

魔物は勝ち誇ったように清一と北一輝を見下ろしている。

笞の先端が清一の眼に突きかかってきた。

かろうじて首をねじったので、頬をかすめて通った。清一の頬から飛んだ血が雪を染めた。清一は堂本三郎に向かって拳銃を発砲した。弾けるような音がして堂本の身体が揺らいだ。しかし、倒れない。それどころか口が耳のあたりまで裂け、眼が細くなるのが見えた――笑っているのかも知れない。

堂本が接近してきた。両足を揃えたまま、中空を滑ってくる。

雪の答はいっそう清一の首を締め上げてくる。

突然、雪の力が弱まった。すべての音がかき消され、その中で、一条の光が魔物の中心に射し入った。

魔物の両眼が吊り上がり、赤い三日月型の口が開いた。清一に噛みつこうとする気配を見せたが、ふいに姿形が揺らいだ。

光は中空の一点から来ていた。北の祈る頭上に雪の渦があり、その中心に星空が見えた。星々の中でひときわ強く輝くのが北極星だ。

光はその北極星から発していた。

赤い両眼は中空に一直線に飛び上がり、赤い一点となり、闇に消えた。雪の渦はおさまり、もとの降りしきる雪景色に戻った。

清一を取り包んでいた雪の答もなくなっている。清一は身体を起こした。

堂本が立っている。その身体がぐらりと揺らぎ、雪の中にうつぶせに倒れこんだ。清一が覗き込んでみると、堂本は完全に息絶えていた。

その手が頭の上で組まれ、皇居に向かって罪を謝《しゃ》するように見えたのは、清一の眼の錯覚であろうか。

「北先生」

清一は、祈りをやめて雪の中に片手をついた北一輝に走り寄った。

「ぼくの正体を見てしまったようだな」

清一は驚いて北の顔を見た。

「驚くことはない。ぼくは別に自分が魔物だと言っているのではないのだ」

北は弱々しく笑ってみせた。

「ぼくは、この急場にあたり、天照大御神ではなく、わがひそかに仰ぎ見る北極星に祈りを捧げた。そして願いは叶えられたのだ。北極星こそ宇宙の中心。残念ながら太陽神である天照大御神だとて、北極星には叶わない。ぼくの本名は輝次郎《てるじろう》だ。それを『一輝《いっき》』と号《ごう》したのは、われこそは天星《てんせい》北極星の使者との気負いによるものだ」

「ではわが天皇は」

「さよう。天皇は天照大御神の具現されたもの。だが、その上には天帝がおられるのだ。北極星こそ天帝。このことからすれば、ぼくは立派な国家反逆者だ」

「北先生。いいではありませんか。どちらが上か下かなど、それこそ宇宙の真理からすれば些細なことにすぎません。ぼくたち青年将校の決起にしても、その真理に突き動かされたものに相違ありません」

「海江田少尉。そのように考えるものが多ければ、世界は救われるのだ」

有刺《ゆうし》鉄線の向こうに見覚えのある黒のセダンが見えた。わきに立っているのは西田税らしい。

「それでは」

北一輝は清一と握手を交わすと、車の方へ走っていった。北はそのまま中野の自宅に帰って『神仏壇』の前で決起の成功を祈る手筈になっていた。清一はトンネルを通って、警視庁を占拠した仲間たちのところへ戻っていった。

9

警視庁の建物に戻ると、野中大尉は玄関前に兵たちとともに立っていた。

野中は『首尾は』といった表情で清一を見た。清一と北一輝の行動は他の兵士たちには知らされてはいない。

清一はうなずいて見せた。

「それはよかった。先生はどうなされた」

「抜け穴から自宅へお帰りになられました」

「よかった。われわれの昭和維新に魔物退治がからんでいるなどと国民に知れれば、われわれを狂った集団とみなすに相違ない」

「警視総監は見つからなかったか」

「抜け穴の出口で見つけました」

「殺《や》ったか」

「自決しました」

「そうか」

野中大尉はほっとした様子を見せた。

「他の部隊の様子は分かりましたか。決起は成功したのですか」

「湯河原がまだ連絡が入っていない。しかし、他は万事うまくいった。栗原隊は首相岡田啓介を射殺。坂井隊は内大臣斎藤実を射殺、栗原隊のうち安田少尉の隊は荻窪まで足を延ばして教育総監渡辺錠太郎を仕留めた。中橋中尉の隊は大蔵大臣高橋是清の首を討ち取った」

「安藤隊はどうなのです」

「もちろん成功だ。安藤大尉は鈴木貫太郎元侍従長を射殺したよ」

清一の身体から力が抜けていった。

魔物は追い払われ、乗り移られた重臣たちはすべて息の根を止められた。

九頭龍川であったこと、父の死、水底の魔物から救ってくれた母の幻のこと。そしてそれからの長い半年の道のりが浮かんで息を詰まらせた。そして田島勝彦のこと。勝彦は清一の妹礼子を愛していた。幼い頃から清一にとっても気心の知れた友だった。それがいつ魚怪に変じてしまったのか。

はたと思い当たった。

警視庁の地下で秘密の扉を発見したとき、勝彦はねばねばした液体に触れた。あれが勝彦の肉体に滲透《しんとう》して魚妖族にしてしまったのだ。なぜか清一には、勝彦がどことも知れぬ水の深みで、今も生きているような気がしてならなかった。

とはいうものの、勝彦が清一の決起に加わろうと上京してきたことに間違いはない。彼は清一に昭和維新の夢を託していた。だからこそ、清一を魔界で救い、身を滅ぼしていった。その心を思うとき、清一は号泣したい思いだった。

すべては悪い夢ではなかったのか。たった今、水中で見てきた怪奇な神殿。あれも夢ではなかったのか。九頭龍川に帰れば、勝彦が元気な日焼けした顔で、礼子とともに出迎えてくれるような気がした。

今ごろ福井は雪の中だ——純白の雪の衣装。

現実なのは、昭和維新の血は流されたことだ。

もはや帰ることはできない——。

第六章　宴のあと

1

反乱部隊は各々目標を襲撃した後、計画通り、首相官邸の栗原中隊、陸相官邸の丹生中隊、及び警視庁の野中・清原・鈴木中隊はそのまま占拠を続けた。中橋中尉の指揮する部隊は首相官邸に移動した。その他の部隊は逐次《ちくじ》陸軍省付近に集結し、三宅坂・永田町一帯の地域を支配下においた。

降り積もった雪が陽光を弾き、まばゆい夢幻の世界が現出していた。皇居の石垣の松の木立も、三宅坂一帯の建物も、国会議事堂も純白に染まっている。それは青年将校たちに、先程流してきた血が洗い流されるような爽快感を与えたが、寒さはひとしおで、兵士たちは庭に焚火《たきび》をして暖をとった。

海江田清一少尉は三宅坂を警備していた安藤大尉と合流した。

午前六時半、ようやく空は明るんできた。雪は小降りになっていた。

「うまくいったか」

と安藤大尉は訊いた。

「はい」

「それはよかった」

と安藤大尉はぽつりと言った。関心は別のところに向いている。

その顔の暗さが清一は気になった。問いただすと、安藤大尉は、

「河野隊が失敗した。たった今、河野大尉本人から電話が入った」

「大尉がですか。どこからかけてきたのです」

「熱海だよ。東京第一衛戍《えいじゅ》病院の熱海分院だ」

「どうして、また――」

「料亭を襲撃したが、大尉は護衛の巡査に撃たれたのだ。脇腹に当たって重傷だった。結局、内府《ないふ》を見つけることはできず、火を放ったが、逃げられた。東京に向かったのだが、河野の傷は重い。警官隊と遭遇すればよけいな死者が出るというので、熱海で病院に車をつけ、憲兵隊に逮捕されたのだ」

決起の頓挫《とんざ》だった。

「今、村中さんと磯部さんたちが陸相官邸の応接室で川島陸相と会見している。決起趣意書を読み上げ、要望事項を述べているはずだ」

決起の正否は今日にかかっているのだ。軍部が同意してくれるかどうか、天皇が認めてくれるかどうか。そして国民の理解が得られるかどうか。

もとより国民の中に不満があることから出た行為であるから、国民は同意してくれるだろう。軍隊の中の同調者も得られる。問題は天皇だった。

安藤大尉の心を占めていたのはそのことだった。最後まで同意しなかった理由もそこにあった。磯部浅一や栗原中尉、そして親友の野中大尉までが、天皇は最後にはわれらの行動を理解してくれると信じている。現に満州事変のきっかけとなった柳条溝《りゅうじょうこう》事件のときだって、板垣征四郎・石原莞爾《かんじ》などの独断先行は後になって認められたばかりか、勲章まで与えられたではないか。勝てば官軍だというのが野中大尉たちの論理だった。

安藤大尉にはそれが不安だ。天皇は『神』といわれる。だが、紛れもないひとりの『人間』なのだ。幼い頃から親しんだ重臣たちや忠実な臣下を殺されて怒り狂う人間天皇の姿が目の当たりに浮かぶのだった。その躊躇を断ち切ったのが、北一輝や清一から聞かされた魔物のことだった。

重臣たちに乗り移った魔物たちは確かに倒した。その目的は達成された。それだけがせめてもの慰めだった。

磯部、村中、それに香田大尉は川島義之陸相を呼びつけ、

『国体破壊の不義不臣を誅《ちゅう》して、稜威《みいつ》を遮り御維新を阻止し来《きた》れる奸賊《かんぞく》をとりのぞくものだ』

という内容の決起趣意書を読み上げた。

決起軍の要望の最大のものは『決起軍の趣旨を速やかに陛下に上奏《じょうそう》し、御裁断を仰ぐ』というものであった。それに加えて、統制派または反皇道派の将軍や幕僚を保護検束《けんそく》することを要求した。

川島陸相は要求に押され、次の軍実力者たちを官邸に招いた。

古荘幹郎《ふるしょうもとお》陸軍次官、軍事調査部長山下奉文《ともゆき》少将、鈴木貞一大佐、西村琢磨《たくま》大佐、満井《みつい》佐吉中佐、そして真崎《まざき》甚三郎《じんざぶろう》大将。

真崎大将は決起将校たちによって、次期首相と担がれていた。大将は磯部に向かって「とうとうやったか、お前達の心情はよくわかっておる」などと励ました。むろん狸親父の真崎大将は両天秤をかけていたのだ。

軍実力者たちは協議の末、至急、川島陸相が宮中に参内《さんだい》し、天皇に事件の報告をすることとなった。

陸相を待っていたのは、大元帥《だいげんすい》の軍服を着けた天皇の叱責の言葉だった。

もしかしたら、青年将校たちの行動が認められるのではないかと思っていた陸相は、茫然となった。

天皇は先に午前六時には本庄繁《ほんじょうしげる》侍従武官長からの報告で事件の概要を聞かされていた。普段おとなしい学究肌《がっきゅうはだ》の天皇が、毅然として陸相に『決起部隊を一刻も早く鎮圧するよう』迫ったのだ。

陸相はあわてて、非公式の軍事参議官会議を開いた。それでも荒木貞夫大将や真崎甚三郎大将、近衛・第一の両師団を統率する香椎《かしい》浩平東京警備司令官はなおも、決起部隊に同情的だった。

午前十時、栗原中尉の指揮する歩兵第一連隊機関銃隊の将兵六十名、重機関銃三銃、及び中橋、田中、池田の三名は、トラックに分乗、有楽町の朝日新聞社を襲撃した。

拳銃を突きつけ、従業員たちを全員追い出した後、二階の活版《かっぱん》工場に上がり、配列してあった活字ケース棚のほとんどすべてを引っくり返して、引き上げた。

その後、読売新聞・報知新聞・東京日々新聞・電通等を訪問し、決起趣意書を配り、新聞に掲載するよう要求した。

2

午後三時。非公式な軍事参議官会議の結果生まれた以下の陸相訓示が、青年将校たちに示された。

『決起の趣旨は天聴《てんちょう》に達っしあり。

諸子の真意は国体の真姿顕現《しんしけんげん》の至情《しじょう》なりと認む。

国体の真姿顕現については我等もまた恐懼《きょうく》に堪えざるものあり。

参議官一同は国体顕現の上に一層匪躬《ひきゅう》の誠を致すべく、それ以上は一つに大御心《おおみこころ》を体《たい》すべきなり』

この抽象的な文章に青年将校たちは不満だったが、ほぼ同じころ発せられた戦時警備令が、それをかき消すには充分だった。

同時に、主として関東を管轄する第一師管に戦時警備令が発せられた。この朝から、出動中の部隊は戦時警備隊の一部に編入され、すでに東京に集結しつつあった長野や千葉の連隊とともに、治安維持にあたるべし――。

午後六時、後藤内相が内閣総理大臣代理となり、八時からの宮中での閣議で戒厳令の施行《しこう》を決めた。日付は変わって二十七日午前三時、東京に関東大震災以来の戒厳令が公布された。戒厳司令官には香椎浩平中将が任命された。

これにより、決起軍は自動的に麴町地区警備隊となった。名実ともに『官軍』になったと、決起軍が狂喜したことは勿論である。

それまで各所に散っていた決起部隊は以下のように宿舎を決め、警備にあたった。

首相官邸――丹生中隊・中橋中隊。蔵相官邸――清原中隊。文相官邸――野中中隊・鈴木中隊。農相官邸――野重七自動車隊。山王《さんのう》ホテル――丹生中隊。赤坂幸楽《こうらく》――坂井中隊・安藤中隊。

海江田少尉は安藤中隊に戻っていた。北一輝に電話を入れると、北は『今朝はお告げがあった。人無し、猛将真崎在《まざきあ》り。国家正義軍のために号令し、正義軍速やかに一任せよ。以上だ』それだけを言っただけだった。盗聴を警戒しているのは明らかだった。

赤坂の山王ホテルと幸楽には、市民たちが酒や食物を持って押し寄せた。決起軍はまるで英雄のように市民たちから持て囃《はや》され、得意の絶頂にあるように見えた。ひどい寒さの中でも、兵士たちの心は燃えたぎっていた。

決起軍にとって青天の霹靂《へきれき》は、首相岡田啓介が生きて、参内したこと。鈴木貫太郎元侍従長が重傷ながら一命は取り留めたという報《しら》せだった。

首相岡田啓介と思って殺したのは岡田の妹婿《いもうとむこ》の松尾伝蔵《でんぞう》予備役《えき》陸軍大佐だった。

鈴木貫太郎元侍従長を襲った安藤大尉はその報せに顔色を変えたが、すぐに静かなものに戻った。

安藤は鈴木元侍従長を撃った後、止めを刺そうとして、鈴木の妻に懇願《こんがん》され、やめにした。清一には、それでも、安藤大尉の顔はどこかほっとしたように見えた。人間としての情をまっとうしたためだろうと清一は思った。

しかし、岡田首相が生きていては、期待した真崎甚三郎大将を首班《しゅはん》とする内閣は誕生するはずもなかった。

青年将校たちが期待する真崎が、これからどんな態度に出るか、予測は悲観的だった。

戒厳令を杉山元《はじめ》参謀次長に強く勧めたのは、柳条溝事件の立役者、参謀本部作戦課長の石原莞爾《かんじ》大佐だった。

石原莞爾はこれまで決起軍の行動を冷静に見守ってきた。北一輝とはともに満州にいた頃から、法華経《ほけきょう》を通じ、親交があった。ともに熱心な信者で、法華経のもとで世界革命を遂《と》げようという考え方も共通していた。だが、北たちの決起行動については、時期が早すぎると否定的だった。それが起きた。幸先《さいさき》も悪かった。

石原の右腕ともいうべき忠実な部下片倉少佐が二十六日の朝、陸相官邸で磯部に撃たれ重傷を負った。そして今、事態は決起軍にとってまずい方向に転がりだしている。

石原は片倉少佐が撃たれたことに激怒すると同時に、好機来《きた》れりとほくそえんでいた。

青年将校たちにクーデターを起こさせ、戒厳令で一挙に壊滅する。軍部の威力を国民の前にまざまざと見せつける威嚇《いかく》効果は絶大である。その力をもって政治の実権を握り、統制のとれた軍事国家をつくりだすのだ。それは以前、片倉少佐とともに立案した石原の秘策でもあった。戒厳令の施行とその実権を握ることはカウンター・クーデターの第一歩だった。天皇の気持ちは、暴徒鎮圧《ぼうとちんあつ》で終始一貫はっきりしている。

陸軍内部にもまた、陸軍の中枢《ちゅうすう》を踏みにじられた屈辱を晴らそうとする機運も生まれていた。

なによりも海軍の怒りは凄まじかった。

首相岡田啓介、内大臣斎藤実、鈴木貫太郎元侍従長、いずれも海軍大将なのだ。それを殺傷されたのである。

海軍は軍令部総長伏見宮博恭《ふしみのみやひろやす》のもと、鎮圧のため、横須賀から陸戦隊を呼び寄せ海軍省を防御するとともに、連合艦隊を東京湾と大阪湾に急行させた。

戦艦『長門《ながと》』『山城《やましろ》』『榛名《はるな》』『扶桑《ふそう》』など第一艦隊が芝浦沖にやってきたのは翌二十八日早朝のことだった——。

3

二十八日、各部隊は前夜宿営した場所で終日警戒勤務に服した。安藤大尉は幸楽《こうらく》から山王ホテルに移動した。坂井中隊は午後二時頃幸楽を出て四時頃から参謀本部一帯の警備配置につき、翌朝まで続けた。清原中隊は夜になってから三宅坂の警備に服した。まるでクーデターなど起こさなかったかのような、日常勤務だった。

だがこの間に事態は急展開していた。実は二十七日午前九時杉山元参謀次長は参内して奉勅《ほうちょく》命令の允裁《いんさい》（裁可《さいか》）を得ていた。

『戒厳司令官は三宅坂付近を占拠しつつある将校以下を速やかに現姿勢を徹し各所属師団長の隷下《れいか》に復帰せしむべし』

――ここにおいて決起部隊は『占拠部隊』となったのである。

だが、この奉勅命令の交付は大幅に遅れた。皇軍同士の戦いを恐れ、二十七日は平和的に帰順《きじゅん》するよう説得工作が行われた。

実際に奉勅命令が香椎戒厳司令官に交付されたのは二十八日午前五時のことだった。

決起軍の将校たちは絶対の存在である天皇から占拠を撤収せよという命令が下され、混乱状態に陥った。

帰順か抵抗か。

将校は自刃《じじん》するので『死出《しで》の栄光』に勅使《ちょくし》を賜《たまわ》りたいという話になったが、天皇は『自殺したいなら勝手に死ぬべし』と一蹴した。事態の収拾が遅れていることで、天皇は怒り心頭《しんとう》に発していたのである。軍部がグズグズしているのが腹立たしい。天皇は軍服を着用したまま、寝室でも脱ごうとはしなかった。ちなみに天皇が軍服を脱いだのは、決起軍将校の処刑が終わり戒厳令が解除された、この年の夏のことだった。

清一は自分の危惧が当たっていたことを知った。勅使の件が撥ねつけられたことを知って決起将校たちは徹底抗戦を決意しないわけにはいかなかった。

一方、青年将校たちがいったん自決を言い出しておいて撤回したことから、香椎戒厳司令官も賊徒討伐《ぞくとうばつ》に踏み切った。

二十八日午後五時三十分、戒厳司令部は『反乱部隊はついに大命《たいめい》に従わず、よって断固、武力をもって治安を恢復《かいふく》せんとす』という命令を近衛師団に下した。

『占拠部隊』はついに『反乱部隊』となった。

仙台の第二師団と宇都宮の第十四師団も東京に呼び寄せられた。包囲軍は総計二万四千。戦車や十五サンチ榴弾砲《りゅうだんほう》、毒ガス七百、発煙筒千発も配備され、一触即発の状態となった。攻撃開始は二十九日朝と予定された――。

4

夜明けとともに戒厳司令部は攻撃の輪を縮めるとともに、ラジオ放送や飛行機からのビラ撒きなどで反乱軍に投降を呼びかけた。

アドバルーンも上がり、垂れ幕には『勅命下る、軍旗に手向かうな』とあった。

『兵に告ぐ』ラジオ放送は午前八時五十五分行われた。

この効果は絶大だった。

「勅令が発せられたのである。……天皇陛下にそむき奉り、逆賊の汚名を永久に受けることがあってはならない。今からでも遅くはないから、ただちに軍旗の下《もと》に復帰するようにせよ。そうしたら今までの罪も許されるであろう……」

繰り返し放送するうちにアナウンサーの声も涙に潤み、これを聞く決起軍の兵士たちはすっかり動揺した。兵士たちはもともと決起の趣旨がなんたるとも分からず、上官の命令で動員されているだけだったのだから。

包囲部隊の中からも説得のため、決起軍の前面に丸腰でやってくる将校もあった。

決起将校たちも涙でぼろぼろになった。皮肉な話だった。もともと決起の目的のひとつは、兵士たちの疲弊した故郷を救うことではなかったか。

部下の兵士たちを巻き込んではならなかった。

まず中橋隊がラッパを吹きながら宮城に捧げ筒をして帰隊していった。清原隊、坂井隊、野中隊と続いた。

兵士たちを送り出すと将校たちはほっと胸をなでおろした。

海江田少尉は野中大尉たちとともに陸相官邸に向かうことになったが、安藤大尉だけは兵士とともに山王ホテルに陣取って動こうとはしなかった。

安藤大尉は最後まで決起に反対していたが、決起した以上、己の選んだ道を突き進もうと考えたのだ。だが、部下を無駄に殺していいのかという磯部の説得で安藤大尉は兵士を帰すことに同意した。直後、安藤大尉は拳銃で顎を撃ったが一命は取り留めた。

午後一時、野中大尉や海江田少尉たちは陸相官邸で、待ちかまえていた憲兵隊に逮捕された。

海江田少尉は一室に置かれた異様なものに目を奪われた。

粗削りな柩だった。

十八個。逮捕された将校の数である。わきに軍刀と拳銃も用意されていた。

自決せよというのだ。

ひとりをのぞき、将校たちは裁判闘争に昭和維新の実現の思いを託した。

野中大尉だけは拳銃を手に一室に籠《こ》もり、妻子への遺書をしたためた後、拳銃を口に入れ後頭部を吹きとばして自決した。

5

午後三時。北一輝は中野桃園町の自宅の『神仏壇』に祈りを捧げていた。
お告げがあった。
「大波の波打つごとし」
妻は伊香保に静養に行かせてある。いま、この家にいるのは彼一人だった。
窓外は雪に陽光が照り映《は》えてまばゆいばかりだ。
玄関に足音がした。ガラス戸に人影が三つ映じている。
北が開けると、私服姿の刑事たちが立っていた。
北はうなずいて、刑事たちが己の手首に手錠をかけるのにまかせた。
同じ頃、西田税も自宅で逮捕された――。

6

三月四日、緊急勅令により陸軍軍法会議が特設され、代々木練兵場《れんぺいじょう》内に法廷が急造された。

四月二十八日から裁判が開始された。

一審制・非公開・弁護人なしの暗黒裁判だった。

その間、相沢事件の相沢三郎中佐は五月七日、上告棄却の判決を受け、七月三日、銃殺刑を執行された。これで青年将校たちに対する『恩情ある判決』は期待できなくなった。

軍法会議は、軍上層部のとった反乱容認態度を隠すため、事件は北一輝・西田税などの外部勢力に青年将校たちが踊らされた結果生じたものだとし、七月五日、安藤大尉ら青年将校ら二十名に死刑、五名に無期禁固、六名に禁固十五年などの判決を下した。

七月十二日、磯部浅一・村中孝次・北一輝・西田税などの民間人をのぞく十六名は、東京衛戍刑務所で銃殺刑になった。

八月十四日、北一輝・西田税は死刑の判決を受け、八月十九日、磯部浅一・村中孝次とともに処刑された。

この間に軍部主流は新しくできた広田弘毅《こうき》内閣を威圧する一方で、皇道派の将軍、真崎甚三郎・川島義之・林銑十郎《せんじゅうろう》・南《みなみ》次郎・本庄繁・阿部信行の大将が予備役編入、戒厳司令官の香椎浩平・西義一《にしよしかず》・建川美次《たてかわよしつぐ》・小畑敏四郎《おばたとしろう》の中将も予備役に編入し、粛軍《しゅくぐん》を断行していった。

その結果、寺内寿一《ひさいち》陸相・杉山元教育総監・梅津美治郎《よしじろう》陸軍次官などが軍の中枢に座った。いわゆる『新統制派』である。陸軍省では武藤章《むとうあきら》中佐、参謀本部では石原莞爾大佐が勢力を伸ばした。

陸軍の要求で軍部大臣現役武官制も復活した。後世の悪名は高い。陸軍大臣と海軍大臣が現役武官でなければならないとするなら、陸軍海軍がもし大臣を出すことを拒否すれば、組閣はできないのだ。このために軍部の言いなりの内閣しかできなくなった。元老西園寺公望《さいおんじきんもち》もこの立法の危険性を見すごしてしまった。このため日本は、英米協調主義者が多かったにもかかわらず、世界大戦への道を転がり落ちてしまうのである。

第七章　ハワード・P・ラヴクラフトへの手紙

1

以下は東京衛戍刑務所で処刑された海江田清一元少尉の遺品の中から発見された英文の手紙である。ザラ紙に鉛筆で書かれたものだ。塚本所長から憲兵隊に渡され、翻訳された。

「親愛なるハワード」

と定型どおり手紙は始まっていた。

「わたしは海江田阿礼の長男で清一と申します。父阿礼は一九三五年八月二十八日逝去しました。わたしは父の遺品の中に貴方の御作品ならびにお手紙を見つけ読ませていただきました。故人への御厚情感謝致します。また、父は遺書の中で邪神たちのことに触れておりました。父は貴方の教えを守り、九頭龍川の魔物を封じてきました。死因は胃ガンでしたが、葬儀の晩父は生き返り、そのあと無残にも魔物を封じようとして内臓を食われて死にました。

父は自分が死んだならすぐ火葬にするようにとわたしに言い残しましたが、実際に火葬にしたのは一昼夜を経た後だったのです。

九頭龍川の邪神は九頭龍川を抜け出しました。その魔物にはわたしも黒龍神社の地底で会っています。魔物の行く先は大日本帝国の中心、天皇のおいでになる皇居でした。しかし、皇居は日本古来の神に護《まも》られており、邪神は皇居に近い政治軍事機構の中心永田町一帯に黒い雲となって襲いかかりました。とりわけ東京の警視庁は皇居に近く、その地底に邪神は巨大な地底の海をつくり出したのです。邪神はそればかりか日本の政界や宮中の重臣たちに乗り移りました。

これまでのことを教えて、わたしを指導してくださったのは北一輝先生という日本の愛国者です。氏は古今の神に通じ、法華経に帰依《きえ》しておられましたが、貴方のおっしゃられていた『ネクロノミコン』の中国語版『屍龍教典《しりゅうきょうてん》』を中国で手に入れており、邪神のことを熟知していました。もし貴方と会うことができるなら、同志愛を超える友情に結ばれることでしょう。

残念ながら、それはできません。

なぜなら、北先生も私も、銃殺刑を前に、今、軍の拘置所にいるからです。従って、この手紙は鉄格子の中で、看守の見張りのもとで書いています。

腐敗した重臣たちに憤《いきどお》る日本陸軍の若い将校たちのクーデターのことは米国にも伝わり、その概略は貴方も御存知のことだと思います。

かくいう私も、反乱を起こした将校たちのひとりでした。今年の二月二十六日早朝、わたしたちは部隊の兵士をつかって、永田町にある首相官邸、陸相官邸、警視庁などを襲撃、重臣たちを殺傷して、占拠しました。

クーデターは結局鎮圧され、わたしたち将校は自決したものをのぞき、裁判で死刑が確定しました。北先生も民間人ながら死刑の判決を受けるでしょう。

表立っては、青年将校たちの暴発でしたが、この事件にはもうひとつの側面がありました。その点では計画は失敗などではなく、大成功だったと自負しております。なぜなら、わたしたちは邪神の乗り移った重臣たちを殺したり傷つけたりすることができ、とりわけ警視庁の地下では邪神を決定的に撃退することができたからです。

警視庁の地下には案の定『海』がありました。霧の渦巻く邪神の海です。そこにわたしは落ち、海底で古代都市の遺跡とダゴンの神殿を見ました。

神殿の中ではわたしの父や母に変身する怪物と会いました。頭から蛇が生えてくる魔物です。これはダゴンの妻といわれるヒュドラだとわたしは思います。礼拝の者たちはみなインスマス面の持ち主でした。魔界にいた『父』はわたしに仲間になれと勧めましたが、わたしは断りました。すると、彼らの祭る神像は動きだし、わたしを追ってきました。

神像はダゴンそのものだったのです。ダゴンが身体を振ると、海底都市を中心にして、また渦が始まりました。巨大な渦の向こうにわたしの見たのは、かしこくも天皇陛下のおられる宮城でした。このとき魔物が渦巻により宮城のお堀の水に割りこもうとしていることを確信したのです。わたしを救ってくれたのは北一輝先生の祈りでした。北先生は日本古来の太陽の神の助けを求め、魔物に立ち向かったのです。わたしの幼なじみの友は魚妖に変じてわたしを救い、自らを恥じて北先生の刃にかかりました。

今では魔物は去りました。『海』のあった場所には地崩れのような跡が残るままです。

日本の武士道では戦いに破れた武士は切腹して責任をとります。このたびのクーデターの責任をとって、将校のあるものは裁判を待たず自決しました。わたしもできれば自決したいと思いました。

それを思い止まらせたのは、ある日、拘置所の庭を散歩したとき、池に映った自分の顔でした。わたしには異変がすぐ分かりました。診察してくれた軍医は、拘置の疲労が出て背中が曲がり、頬の肉がこけたので目が大きくなったのだといいました。唇の腫れは蕁麻疹《じんましん》だといいました。しかしわたしには分かりました。わたしもまたインスマス面になりはじめていたのです。魔界の毒は知らぬまにわたしの肉体を侵していたのです。

もはや自決することはできません。銃殺になって、わたしの身体の中の邪悪な血を清めなければなりません。銃殺になればその遺体は一昼夜を経ることなく火葬に付されることでしょう。軍首脳は、今回のような不祥事を一刻も早く消し去りたいと思っているからです。

とりあえず帝国は救われました。魔物が乗り移った重臣たちのあるものは生き残りましたが、乗り移った魔物もさしたることはできますまい。邪神たちは恐らく別の方法でわが日本帝国を破滅の戦いに引き込んでゆくはずです。

邪神たちは今や帝国の敵にまわるのではないかと思います。やがて帝国の敵となるのは貴方の国アメリカでしょう。

邪神はわが帝国を滅ぼし、ついには世界を破滅の淵に追い込むつもりです。それだけは避けなければならないのです。

親愛なるハワード――邪神は貴方の国に戻りました。どうか邪神を封じ込めるのにもうひと働きお願いします。黄泉《よみ》の国から、御活躍を見守っております」


この手紙の翻訳文を衛戍刑務所の塚本定吉所長から見せられたのは、参謀本部の石原莞爾大佐だった。

「処刑を前に血迷ったか」

と石原莞爾大佐は首筋を掻いた。「北の狂気が乗り移ったと見える。で、警視庁の地下は調べたのか」

「海江田元少尉の書いているのは、警視庁の非常用のトンネルのことです。確かに壁が割れて汚水が流れ込んでいました。だが、ほんの水たまりで、腐食した下水管が破裂したためにできたものです」

「なるほど。それよりも、あのトンネルは恐れ多くも天皇陛下や首相官邸の要人たちが万が一のあり得ざる事態が起こったとき、お使いになるためのものだ。彼らが入ったとすれば、警視庁の策も何の役にも立たなかったということかな……このハワードというのは何者なのだ」

「本人に問いただしましたところ、父親が外国航路の船員だったとき知り合った作家だということです。この非常事態に米国人と囚人が文通とは言語道断です」

そのとき、ドアがノックされて、石原の副官が入ってきた。

「何の用だ」

「東条閣下がお見えです」

副官を押しのけるようにして、小柄な軍人が入ってきた。

陸軍少将の制服に身を固めている。眼鏡をかけ、髪が大きく後退していたが、皮膚は赤くつやつやとしていた。

「東条閣下」

東条英機は明治十七年生まれ。陸軍士官学校第十七期卒業である。ちなみに石原は二十一期。東条は石原より五歳年長である。ともに陸軍大学を出て、軍のエリートコースを歩いてきた。東条英機は統制派の中心と目《もく》され不遇であったが、皇道派の没落とともに昭和八年には関東憲兵隊司令官として復活した。カミソリ東条と呼ばれるほどの切れ者である。一方の石原は満州にあって昭和六年には柳条溝事件を起こし、満州建国に当たっては立役者であったから、東条とは肝胆相照《かんたんあいて》らす仲だった。

「東条閣下は、いつ内地にお帰りだったのですか」

「板垣征四郎閣下のお供で帰ってきた」

「ほう。いよいよ、近衛侯《このえこう》に組閣の大命が降りますかな」

「まだそこまではいかぬ」

東条英機は塚本に眼をやった。

それから机の上の手紙に眼をやった。一枚は英語になっている。

「ほう。外国から。友達かな」

「いえ」

石原は海江田清一の遺書のことを語った。

「なるほどな」

東条は英文の手紙を読んで、もとに戻した。

「もっての他のこと。処分いたしましょう」

塚本が手紙に手を伸ばした。

「持っていって焼いてしまえ」

と石原が面倒臭そうに言った。

「待ちたまえ」

と制したのは東条だった。

「焼くことはなかろう。遺族に渡してやるがよい」

「しかし」

と石原が口を挟もうとした。

「そのほうが被告が錯乱していたことが分かって、遺族もかえってほっとするものだ」

「東条さんがいうなら、いいだろう」

石原莞爾は椅子から立ち上がって窓に向かい、鷹揚《おうよう》なところをみせた。「遺品の中に入れておけ」

手紙が塚本の手で封筒に戻される場面が、東条の眼鏡に映じている。その眼に不気味な笑みが走ったように石原には思えた。

「今夜は久しぶりに神楽坂で飲もうか」

と東条は言った。「むろん飲み代は自前だがな」

昭和十二年日中戦争が勃発したとき、東条は関東軍参謀長、石原は副参謀長となった。だが、石原は戦線の不拡大を主張して東条と対立、以来、石原は軍の中枢から外れていくことになる。

一方東条は陸相となった板垣征四郎に付いて中央に登場。板垣を押しのけて近衛内閣の陸相となり、やがて東条内閣を組閣して太平洋戦争に突入してゆく――。

今、参謀本部の中庭では、満州に渡る部隊の閲兵《えっぺい》が行われていた。歩兵第一連隊、歩兵第三連隊、近衛歩兵第三連隊――反乱に加担した兵たちが戦地へ送り出されてゆく。それが青年将校たちに率いられて二・二六事件に出動した兵士に対する刑罰だった。

2

昭和十一年七月十二日。代々木の陸軍衛戍刑務所で十六人の将校の銃殺刑が執行された。

午前六時四十分出房。所長から訓話があった後、五人ずつ刑場に進んだ。途中目隠しをされ、一名ごとに刑場に連行され、座につけられた。正座し、身体の各部を後方の柱に固定された。

刑場は刑務所の一隅《ひとすみ》に五条の壕《ほり》を掘り下げ、各人の両側と背後には土嚢《どのう》が積み上げられている。そのまた背後は煉瓦の塀だった。

約十メートルの位置に銃架上に小銃二挺《ちょう》ずつ固定し、一挺は前額部、一挺は心臓部に照準が当てられている。発射して即死しない場合は心臓を射撃する。正副射手ともに将校である。

執行は午前七時から四回に分けて行われた。

午前七時―香田清貞《こうだきよさだ》・安藤輝三・竹嶋継夫《つぎお》・対馬勝雄《つしまかつお》・栗原安秀。

午前七時五十四分―丹生誠忠《にうよしさだ》・坂井直《なおし》・中橋基明《なかはしもとあき》・田中勝《まさる》・中島莞爾。

午前八時三十分―安田優《ゆたか》・高橋太郎・林八郎・渋川《しぶかわ》善助・水上源一《みずかみげんいち》。

そして午前九時の回は、海江田清一ひとりだけだった。

海江田元少尉は正座して身体を固定されていた。目隠しをされてはいたが、風のそよぎはよく分かった。となりの代々木練兵場からは演習部隊の銃声がまだ聞こえている。銃殺の音を紛れさせようというつもりだろう。

昨日、妹の礼子が面会にきた。礼子は勝彦の死をいまだに信じてはいない。辰野村を出奔したまま、旅をしていると思っている。村の黒龍神社は今は礼子が守っている。礼子は勝彦に戻って自分と結婚し、宮司になってほしいのだ。妹には可愛そうだが、叶わぬ願いである——。

とにかくも『邪神』の危機は去った。

蝉が鳴き始めている。

今日も上天気になるだろう。陽光の暑さが頬に心地好い。次の瞬間、陽光をはるかに超える熱いものが清一の頭の中に飛び込んで脳を破壊した——。清一には自分の脳が崩れてゆくさまが分かった。むくむくと黒いものが湧き出し、巨大なきのこのように膨らんでゆく。

その頭部から蛇のような触手が湧き出していることに気づいて、清一はたまらず絶叫した。次の瞬間、心臓に熱いものが撃ち込まれ、清一は絶命した。

清一の遺体を引き取りに来たのは礼子だった。

遺体はその日のうちに火葬に付され、骨となって、九頭龍川に帰っていった。

翌十二年の八月十八日、処刑の前日、北一輝は妻のすず子と息子の大樹《だいき》との面会を許された。大樹はこのとき、二十一歳になっていた。相変わらず放蕩《ほうとう》の癖は直っていない。

「お母さんを大切にな、大樹」

北一輝は面会室で三人だけになると、眼を細めて息子を見た。

「すず子、今朝のお告げはどうだった」

「まばゆい光が雲間を破って射し込んでおります。仏さまがあなたさまをお待ちでございます」

「それは重畳《ちょうじょう》。もう思い残すことはない」

北一輝は満足そうな顔になった。「お前には本当に世話になった」

北は机越しにすず子の手をとった。

「わたしたちはともに霊界に生きるもの。お別れではありませんわ」

北はうなずいた。「ともに祈ろう。魔物をこの世から退散させるため」

「承知いたしております」

すず子は笑みを見せた。

「大樹」

呼ばれて若者はさすがに神妙に父の顔を見た。

「おまえはまだ若いから麻雀にも行きたかろう。舞踏場にも行きたかろう。お父さんはこれから霊界に入るのだから、こんな鉄格子もなければ看守も居ないし、どこへでも自由に行ける。これから麻雀でも舞踏場へでも大樹と一緒に行くよ。しかし、変な女にひっかからないよう気をつけるんだよ」

大樹は細面の顔を伏せた。

「大樹には、あとで母さんから大切な話がある。詳しいことは遺書にしたためておいた」

「何なのです、大切な話とは」

大樹がそれまでの煙たそうな姿勢を改め、北を見た。

「ぼくにはそれを説明してやれる時間はない。だが、これだけは言っておく。ぼくはおまえを愛している」

面会時間の終了が告げられた。

「あなた」

「すぐ会えるよ、すず子」

すず子と大樹は帰っていった。

独房に戻された北一輝を、隣の格子越しに西田税が迎えた。

西田は北と同じく、壁に南無妙法蓮華経と書いた紙を貼って、祈りを絶やさなかった。

「どうでした、大樹くんは」

西田は訊いた。

「あれにやってもらう他はないだろう。軟弱に見えて案外しっかりしている」

「大樹くんに実の父母のことは話されたのですか」

「明日になったら、すず子が話すだろう。実の両親が中国革命の闘士だと知ったなら、きっと魔物退治を決意してくれるはずだ」

「そうですか。ときに先生」

「なにかね」

「明日は、天皇陛下万歳を叫んで死のうと思います。先生はどうなさいますか」

「その必要はないだろう。おとなしく、ぼくは消えてゆくつもりだ」

北一輝は、机の上に用意された紙に『北一輝之霊』と書いた。そうして『南無妙法蓮華経』の紙に並べて張りつけた。それが北一輝の死出の旅支度だった——。

エピローグ

一九三七年（昭和十二）三月の早朝、ロードアイランド州プロヴィデンスの病院の一室では、作家ハワード・P・ラヴクラフトが腸癌《ちょうがん》のため瀕死の床にあった。

予知したとおり彼の生命は尽きかけている。ハワードは、古怪《こかい》な石像を握りしめ、うつろな目を窓外にやっていた。窓外に群がるカラスの群れがめっきり多くなった。カラスは意地わるく窓ガラスを突ついた。ここを開けろ、迎えに来たぞ。

「レーヴン（大鴉）、レーヴン」

ラヴクラフトはポーの詩を口ずさんで、かっと目を見開いた。「あっちへ行け」という風に石像を振り……その手がぱたりと落ちた。午前六時。ハワード・フィリップス・ラヴクラフト、四十六歳の生涯だった。

昭和十六年（一九四一）十二月、日米は開戦した。

終戦間近な二十年八月六日、九頭龍川上流の辰野村で神社の本殿が消失した。中から宮司の海江田勝彦の黒焦げの死体が発見された。妻の礼子が放火を自供した。勝彦は長の放浪の旅から帰って一年前に海江田礼子と結婚、同家に婿入りした。取り調べに対し、礼子は放火の動機を決して話そうとはしなかった。

もっとも、そんな田舎の瑣末《さまつ》な出来事は、さらなる大きな出来事にかき消された。広島と長崎に米軍の新型爆弾が投下されたのだ。

その巨大な雲はむくむくと際限なく中空に広がり、やがてその頂上から触手が伸び上がり邪神の形をとったことに気づいたものは誰もいない。まして魔物の高笑いを聞いたのは、風だけだった――。

少しおくれて八月十九日、上海《シャンハイ》で寺院に爆弾を投げようとした男が警官に射殺された。男は息が絶える寸前、寺院の魔物を退治するつもりだったと洩らした。「魔物？」と訊き返す警官に、この大陸浪人らしき男は口から血を流しながら意味不明の言葉を呟くだけだった。

ＣＴＨＵＬＨＵ……。

昭和四十三年、九頭龍川の上流、和泉《いずみ》村一帯に九頭龍ダムが、さらに同村には鷲山原《わしやまはら》などのダムが造られ、海江田清一の故郷辰野村も湖底に沈んだ。

※この作品はフィクションであり、実在の人物・団体等とは一切関係ありません。

あとがき

　ぼくは閉所恐怖症の気味がある。幼い頃、遠足などで行列の中に組み込まれると、猛烈に便意をもよおす。高校では運動部を退部できないとなったら、なんとしてもやめたくなる。拘束されると駄目なのである。

　その反応は原則として今でも変わっていない。車の渋滞が駄目だ。とりわけ高速道路、土砂降りの雨と重なったら、冷汗たらたらだ。理髪店で首に白い布を巻かれたとたんに、頬の筋肉がぶるぶる震え出す。映画館で列の中程に座ろうものなら、すぐ膀胱がひきつりだす。飛行機に乗れば、ほとんど映画『トワイライトゾーン』で窓外に悪魔を見てしまう大男ジョン・リスゴーの心境である。家庭生活などよくできると思うが、これは人生の流れなので、閉塞感が薄らぐらしい。

　だから、拘束されずに、ひとり夢を見るのが好きだ。体調が悪いとろくな夢を見ない。数日前の晩には、足の甲とアキレス腱のあたりが玉蜀黍《とうもろこし》のようになって、爪を差し込むと血が滲《し》み出す夢を見た。何度も何度も、爪を立てて――。

　ラヴクラフトを初めて読んだのは早川ポケット・ミステリの『幻想と怪奇』第二巻に収められた『ダンウィッチの怪』だった。同書の第一巻にアルジャノン・ブラックウッドの『柳』が載っていた。『柳』はダニューブ河の三角洲に野営した主人公たちの、砂浜の向こうに植物が群生していて、それが人間たちが気づかないうちに次第に接近してくるという怪談だった。この二作は本当に怖かった。ぼくが高校生の頃である。ブラックウッドは緻密な計算の上に立った怖さであり、ラヴクラフトのそれは狂気の怖さだった。

東京創元社の世界ロマン全集で『吸血鬼ドラキュラ』とハガードの『洞窟の女王』に出会ったのはその少し前だったろうか。創元推理文庫に収められた『インスマウスの影』とブラックウッドの『いにしえの魔術』（それに萩原朔太郎の『猫町』も）はごっちゃになって頭の中に登録された。

その後、ホラーが（ほどほどに）市民権を得て、ラヴクラフトが続々と読めるようになると、ますますその感を深くした。すっかりラヴクラフトにかぶれた。『海底の神殿』を読んだあとでは、ぼくはまだかけだしの作家だったので、『ゲッベルスの潜水艦』という短編を雑誌『幻影城』に書いた。

ベルリン陥落寸前、総統地下壕から総統を連れて逃げたゲッベルスがUボートを仕立て総統とともに深海の底にある古代都市アガルタへ向かう話だ。

この話に出てくるヒトラー総統は、あくまでも優しく、ゲッベルスの妻や子たちと遊んでくれている。このUボートの中はゲッベルスの理想の世界――もはや総統は自分だけのものだ。

ところがアガルタが近づいた時、前方に六つの頭を持った海竜がたちはだかり、潜水艦にまといついてくる。海竜たちは窓からのぞきこんで何かをうったえかけてくる。

実はアンブローズ・ビアスの『アウル・クリークの出来事』と同じ構造である。この仕立ては映画『ふくろうの河』や『ジェイコブズ・ラダー』で使われている。

ゲッベルスは地下壕で総統が死んだあと、自分も六人の子供たちを毒殺して、夫婦そろって裏庭で自決した。物語自体、死ぬ寸前のゲッベルスの幻覚だったということだ。ゲッベルスの周囲にはいつもハエがつきまとっていて、ゲッベルスたちが死人であることを暗示することにした。

古い話で恐縮だが、学生時代のぼくの卒論は『ヨゼフ・ゲッベルス』だった。政治学科だから真面目にナチの体制の分析でもすればよさそうなのに、ぼくは、脚の悪いゲッベルスがそれをコンプレックスにしてのし上がってゆく心の軌跡をたどることにした。

彼の行動の中で一番、こちらが熱っぽくなったのは、最期の時にあたって、ベルリンの総統地下壕で、ヒトラーがエバ・ブラウンと共に自決したあと、ゲッベルスもまた、妻と一緒に、あどけない子供たちに毒薬を注射して殺したことだ。子供たちは、それまで空爆下の総統地下壕の長い生活の中でも自分たちの遊びをみつけだし、階段などで楽しく遊んでいたのだ。しかもゲッベルスも妻も、子供たちを眼の中に入れても痛くないほど可愛がっていた。人間はそれほど可愛がっていたわが子をどうして殺すことができるのだろう。まして、その子供たちの気持ちになってみた時、たまらなく熱っぽい気持ちになった。当時のぼくにとっては、アンネの日記よりも、ワルシャワ・ゲットーよりも衝撃的だったといえる。

同じ熱っぽさを与えたのが、まだ子供の頃見た新東宝の『反乱』（監督佐分利信）だった。二・二六事件である。青年将校たちはなんだって、こんな他人の気持ちを斟酌《しんしゃく》しないことをやってのけたのか。戦争で敵を殺すことに不感症になるというのは分かるが、味方を殺す、銃殺も自決も覚悟の上となると、これは狂気である。

あの時代は国民自体が狂気の真っ直中にあった。満州が他人の国だという意識がまるでないのは、帝国主義の時代に後《おく》れて加わった日本の悲劇だろう。

ラヴクラフトの狂気と二・二六の狂気を結びつけて、もうひとつ異様な世界を造ろうとしたのがこの作品である。

問題は作者の頭の具合だが、自分で自分の頭がおかしいという人間などいるはずがない。ぼくは正気であると、はっきり宣言しておこう。

なお、次の文献を参考に読ませていただいた。ありがとうございました。

『二・二六事件ノ概況』『二・二六事件処理資料』　憲兵隊司令部
『昭和の歴史4　十五年戦争の開幕』江口圭一著　小学館刊
『天皇3　二・二六事件』児島襄著　文春文庫刊
『北一輝　霊告日記』松本健一編　第三文明社刊
『日蓮の本』学研刊
『クトゥルー神話大全』学研刊
『別冊幻想文学／ラヴクラフト・シンドローム』アトリエＯＣＴＡ刊
『ラヴクラフト全集』創元推理文庫刊

『ク・リトル・リトル神話集』荒俣宏編　国書刊行会刊
『クトゥルー1・2』大瀧啓裕編　青心社刊
『日本の神々9』谷川健一編　白水社刊
『箱根神社』日正社刊
『神社辞典』白井永二・土岐昌訓編　東京堂出版刊
『日本史小百科　神社』岡田米夫著　東京堂出版刊
『日本伝奇伝説大事典』乾克巳ほか編　角川書店刊
『地名語源辞典』山中襄太著　校倉書房刊
『民間信仰辞典』桜井徳太郎編　東京堂出版刊
『長野県百科事典』補訂版　信濃毎日新聞社刊
『北一輝の昭和史』松本健一著　第三文明社刊
『検索！　二・二六事件　現代史の虚構に挑む』田々宮英太郎著　雄山閣出版刊

平成六年八月

田中　文雄

解説

林　譲治

クトゥルフ神話と二・二六事件。一見するとこの両者には何の関連も無いように見える。人によってはタイトルだけで、作者である田中氏が奇をてらったような印象を受けるかも知れない。

だが、本書を開き、頁を進めれば両者が決して奇をてらったものでないことがわかるだろう。もっとも一端頁を開いてしまったなら、すでにそんな雑念など消えているだろうが。

世の中には、後書きや解説を読んでから本文を読む方も多いという。なのでネタバレになるようなことは書かないでおこう。

その代わり、作品の時代背景について簡単に触れておくことにしたい。

と言うのも、二・二六事件の起きた昭和の日本は、我々の知る今日の日本とは色々と異なる社会であったからだ。

日本が全面戦争の時代に突入する発端となった盧溝橋《ろこうきょう》事件。その前年にあたる昭和十一年二月二十六日に二・二六事件が起こる。

このため二・二六事件が、日本の軍国主義を加速したかのように語られることも少なくない。だが事実関係はそれほど単純ではない。その背景にはまず日本の経済成長に伴う社会的格差の拡大があった。大正末から昭和初期にかけて、日本はめざましい経済成長を遂げていた。もちろん世界恐慌の影響を受け、不況の時代もあった。企業の倒産や失業者の増大などの問題も無視できる状況ではなかった。にもかかわらず日本経済というパイそのものは、成長率の鈍化はあっても拡大し続けていた。日本経済というパイは大きくなったのに、失業者は増える。それは社会における格差の拡大に他ならない。そしてこうした格差は、農業国から工業国への転換に伴う農村と都市部の格差、さらに農村には農村の、都市部には都市部のというようにそれぞれの経済格差をかかえる形で重層化していた。日本社会は急激な変化の時代を迎えていた。しかし、そうした社会の発展の中で、政府は有効な手立てを打てないでいた。

そうした状況の中で、国家主義運動の高揚が起こり、右翼による政府や財界要人へのテロ事件が頻発する。二大政党であった政友会と民政党は議会政治の擁護を宣言する。しかし、その具体的な手立てと言えば、悪名高い治安維持法により右翼のテロを防ぐというものだった。

そして昭和七年五月一五日、いわゆる五・一五事件が起こる。陸海軍軍人による犬養毅暗殺により、政党内閣の時代は終わりを迎えた。それは政党政治の終わりのはじまりでもあった。

国内問題を解決できないまま政党内閣は失敗し、大正デモクラシーの時代にはあれほど高揚していた国民の期待は失望へと代わり、その支持は急激に失われて行く。

そうした社会の閉塞状況に国民は倦み、そして危機感を抱いていた。国民の目から見れば、政党も財界も国のことなど考えず、私利私欲に走っているように見えた。

そうした中にあって、ただ軍部だけが、国の将来を託せる勢力と国民の目には映った。満州事変も国民の目には、経済的な苦境を脱する手段に思えたのだ。

二・二六事件が起きたのは、そうした時代である。本作品でも決起軍に市民たちが差し入れを行う記述があるが、この時期、政党政治に幻滅した国民は、社会の改革者としての軍部に期待し、それを支持していた。

日本が翌年の盧溝橋事件からポツダム宣言受諾までの八年間の戦争を続けられたのも、政党政治への深刻な不信感からはじまったにせよ、そうした軍部への期待があったのだ。

本作品でも主人公の幼なじみの田島勝彦が軍部への熱い期待を語り、故郷では在郷軍人会（予備役・後備役の陸海軍軍人を在郷軍人と呼び、それらを組織化したものが在郷軍人会。地域に支部があり、総数は三〇〇万人と言われる）の人間が、海江田少尉に大陸進出を語るのも、そうした空気の反映だった。

国民が軍部への期待感を抱いたもう一つの理由として、本作品でも随所に描かれているが、当時の日本では軍部と国民はそれほど遠い存在ではなかったことがあげられよう。

いわゆる格差社会であったこの時期の日本では、軍部は社会の底辺層の人間が、上層部にのし上がる数少ないチャンネルだった。

主人公の海江田少尉が故郷で一目をおかれる存在なのも、単に宮司の息子というだけでなく、当時の日本における陸軍将校の社会的地位の反映なのだ。

さらに地域には在郷軍人会があり、それらはコミュニティの中で重要な役割を担っていた。また国民皆兵の国ならば、家族や親戚の中に兵役《へいえき》経験者がいることは当たり前のことだった。軍隊で技術を学び、それを職業にすることも珍しくは無かった。国民生活の隣には地域の人々の形で軍の姿があったのだ。

このように国民の多くが大なり小なり軍部と関わりを持っていたのである。だから主人公である海江田少尉は、海江田家の人間であっただけでなく、郷里の陸軍将校でもあったのだ。

ここに日本の近代化と陸海軍の関係を示す一つの断面がある。

軍隊は国家における暴力装置なのはまちがいない。同時に明治維新からの近代的な国軍建設と、それに伴う国民皆兵が幕藩体制《ばくはんたいせい》の日本を、短期間で近代国家を構築する足場の役割を担っていた。

一例をあげるなら、いまの我々は時計に合わせて生活することに何の疑問も感じていない。しかし、列車のダイヤのように分刻みのスケジュールで生活するなど、明治も中期からようやく日本に根付いた概念なのだ。

そうした「時刻」の概念の普及には、国民の兵役経験が果たした役割は決して小さなものではなかった。

ただ富国強兵に始まる陸海軍の建設とそれに伴う急激な日本の近代化は、完全な近代国家をもたらしたわけではなかった。

農村では凶作となれば、小作人が娘を売らねばならない。それもまた「近代国家」日本の一つの姿であった。近代国家として著しい経済発展を進めた日本の社会は、それが急激であるが故に、数多くの社会矛盾を抱えていたのである。

その社会矛盾は国民の中で重苦しい閉塞感《へいそく》となり、その不満のエネルギーは蓄積され、「何かが起こる」環境は整っていたのである。そしてそのエネルギーの解放は、狂気をも伴うのだ。

前置きが長くなってしまったが、『邪神たちの２・２６』が描かれる当時の日本とは、そうした社会であった。

本作品をそうした視点で読むと、頁を進めるごとに、その尋常ではない切迫感が迫ってくるのがわかるだろう。

日本を滅ぼすべく暗躍する邪神たちの策動。しかし、作者の視点は単純な勧善懲悪《かんぜんちょうあく》を描いてはいない。作中では明確には語られていないが、なぜ昭和のこの時期に邪神たちは暗躍したのか？　それはまさに社会の閉塞感が邪神たちの封印を解いたからでは無かったのか？

本作を読みながら、私は何度となく、既視感を覚えていた。それは二・二六の時代と二一世紀日本の閉塞状況の不気味な符合だ。

もしも二・二六時代の閉塞感が邪神を招いたとするならば、二一世紀日本では……。

クトゥルー・ミュトス・ファイルズ
The Cthulhu Mythos Files ⑦

邪神たちの2・26

2013年8月1日　第1刷

著者

田中　文雄

発行人

酒井　武史

カバーイラスト　杉本一文
本文中のイラスト　小澤麻実
カバーデザイン　神田昇和

発行所　株式会社　創土社
〒165-0031 東京都中野区上鷺宮 5-18-3
電話 03-3970-2669　FAX 03-3825-8714
http://www.soudosha.jp

印刷　株式会社シナノ
ISBN978-4-7988-3007-0　C0293
定価はカバーに印刷してあります。